Shueisha
Series
Common

コモンの「自治」論

斎藤幸平＋松本卓也＝編
白井 聡
松村圭一郎
岸本聡子
木村あや
藤原辰史

集英社シリーズ・コモン

はじめに――今、なぜ〈コモン〉の「自治」なのか？

斎藤幸平

戦争、インフレ、気候危機など、さまざまな困難が折り重なって、一筋縄では何も解決しない危機の時代に突入している。その事実には、誰もが気づいているはずだ。多くの要因が絡み合ったこの複雑な危機を、魔法のように一気に解決することはできない。

それでも、いや、だからこそ、〈コモン〉の再生とその共同管理を通して「自治」の力を育てていかねばならない。これが、『コモンの「自治」論』というタイトルに込めた決意である。

では、〈コモン〉とは、そもそも何だろうか。日本語では〈共〉とも訳される概念で、誰かや企業が独占するのではない「共有物」という意味だ。ひとまずは宇沢弘文氏の「社会的共通資本」を思い浮かべてもいいだろう。

たとえば、村落全体で共同管理されてきた入会地《いりあいち》や河川水などは〈コモン〉の典型だ。ところが、資本主義が浸透するにつれ、こうした共有資源は私有化されていく。それどころか、今やあらゆる〈コモン〉が解体されようとしているのだ。

公営事業である水道も民営化推進の動きがあり、大企業がそこに利益獲得の活路を見出そうとしている。公園などの公共の場を、市民の議論を排除しながら、商業施設に変えてしまおうという大資本の動きも〈コモン〉解体の一例だろう。資本は〈コモン〉であったものを独占することで容易に利潤を手にしていくのだ。これを「略奪による蓄積」と地理学者デヴィッド・ハーヴェイは批判する。[*1]

そうした資本による略奪に抵抗して行う〈コモン〉の再生とは、他者と協働しながら、市場の競争や独占に抗い、商品や貨幣とは違う論理で動く空間を取り戻していくことだ。本書でも触れられている、水やエネルギーや食、教育や医療、あるいは科学など、あらゆる人々が生きていくのに必要とするものは、〈コモン〉として扱われ、共有財として多くの人が積極的に関与しながら管理されるべきものなのだ。

では、なぜ、その〈コモン〉と「自治」が危機の時代を生き抜くためのカギになるのか。詳しくは本書を読み通していただきたいのだが、その理由は私たちの時代の背景について理解することで浮かび上がってくる。

現代の困難な状況を「複合危機」（ポリクライシス）と呼ぶようになっている。新型コロナ・ウイルスのパンデミックもその危機のひとつであったし、止まらない気候変動の影響で食糧危機や水不足、難民問題などが今後もさらに深刻化していくだろう。[*2]そうなれば当然、資源獲得競争や排外主義の台頭によって世界がさらに分断されていく。それが、今度はインフレや戦争のリスクを増大させる。

つまり、自然環境破壊や経済危機、地政学リスクなどの複数のリスク要因が増幅し合い、文明と平和、生存を脅かすのだ。

今後、複合危機によって事態が悪化することはあっても、急激に改善することはない。私たち人類の経済活動がこの惑星全体で不可逆的な変化を起こした結果、慢性的な緊急事態に突入しているからだ。それが「人新世」という時代なのである。

「人新世」とは、資本主義のもとでの人類の経済活動が、この惑星のあり方を根底から変えてしまった時代を指す、地質学の概念だ。地層というのは本来、非常にゆっくりとしたペースで形成される。しかし、化石燃料を大量に消費する資本主義の発展に伴い、自然の時間とはまったく違う急速なスピードで、人類が地球全体を改変するまでに至った。資本の終わりなき利潤獲得が、地球という人類共通の財産＝〈コモン〉を痛めつけたせいで、もはや地球環境は修復不可能な臨界点に近づいている。その帰結が、「人新世」の複合危機だ。[*3]

「人新世」の危機が深まれば、市場は効率的だという新自由主義の楽観的考えは終わりを告げる。むしろ、コロナ禍でのロックダウンであるとか、物資の配給、現金給付、ワクチン接種計画のように、大きな国家が経済や社会に介入して、人々の生を管理する「戦時経済」に変わらざるをえないからだ。ここに、資本主義の危機がある。

その戦時経済は、民主主義の危機をも引き起こす。慢性的な緊急事態に対処するために、より大きな政治権力が要請されるからである。要は政治がトップダウン型に傾いていくのだ。

そんななかで、もし排外主義的なポピュリストが権力を握って、暴走を始めれば、民主主義は失われてしまうだろう。全体主義の到来だ。

こうした最悪の事態を避けるために、トップダウン型とは違う形で、「人新世の複合危機」へと対処する道を見出す必要がある。

そして、それが「自治」という道にほかならない。

もちろん「自治」に希望を見出すことについて、あまりに理想主義だと感じる方もいるだろう。実際、私たちはこの社会のルールや仕組みについて、責任を持って自分たちで決め、運用していると胸を張って言えないはずだ。

日常生活において、自分たちで決められることはとても限られている。自由に決められるのは、コンビニでどのお菓子を買うかとか、休みの日にどこに遊びに行くかを決めることくらいではないか。その際にも、スマホに表示される商品のレビューやGoogle Mapの指示に従って私たちは行動している。もうあと数年すれば、何を食べるか、休日に何をするかをChatGPTに決めてもらう日が来るかもしれない。

そう、私たちは、自分たちでは何も決めることのできない他律的な存在になっている。日々の生活でもこんな状況なのに、政治や社会についての重大な決定を、私たちが責任を持って行うことなど想像すらできない。それは当然のことだろう。しかも、競争の激しい自己責任型社会に生きる私たちは、他者と協働して、大きな課題に取り組む力を失いつつある。それよりお金を稼いで、自分たちの個人的な欲求を満たすほうに関心を持つようになっている。

けれども、そうやって「自治」の力が弱まるうちに、一部の政治家や富裕層、そして大企業が自分たちに有利になるルールをつくって、ますます社会を私物化するという悪循環に陥っていないだろうか。

この悪循環を断ち切るために求められているのが、冒頭で述べた〈コモン〉の再生であり、〈コモン〉の共同管理である。それは、簡単なことではない。しかし、〈コモン〉の共同管理をめざす場で、私たちは「自治」の力を磨いていくしかない。

そして、〈コモン〉のあり方を外部に開きつつ、平等な関係をつくることが重要なのである。なぜ、〈コモン〉が「開かれている」ことが大事なのかと言えば、外部の人たちに対しては攻撃的で、排他的な「自治」もあるからである。たとえば、移民排斥を訴える右派ポピュリズム政党も「自治」の取り組みと言えるかもしれないが、それでは「自治」がファシズムを生み出すことになってしまう。

また、不平等な「自治」も存在する。たとえば、古い体育会系の考え方に凝り固まったスポーツ協会があれば、それは不平等な「自治」の典型である。その内部で年功序列や能力主義が蔓延していれば、それがパワハラやセクハラの温床になるわけだ。さらに、その団体の外部にある〈コモン〉を壊すことも、自分たちの組織の利益のためなら「良し」とされ、内側から異議を唱える声も圧殺されることになる。

つまり、「自治」であれば何でもいいというわけではない。より「良い」自治を考えるために、〈コモン〉という考えが欠かせないのである。

〈コモン〉とは、単に「自治」をするだけでなく、それを民主的で、平等な形で運営することをめざすものだ。必要なのは、〈コモン〉の再生に依拠した「自治」の実践なのだ。

本書のために集まった七人の執筆者たちはこの困難な時代を認識したうえで、「自治」の力を日本社会で取り戻すためのヒントを提示しようとしている。〈コモン〉を耕し、それを管理する方法を模索するなかで、私たちの「自治」の力を鍛えていく。それこそが「人新世」の複合危機を乗り越える唯一の方法なのだ。

その試みの始まりは、小規模でもいい。それが大きくなっていけば、社会を変える力になるはずだ。『人新世の「資本論」』でも述べたように、ハーバード大学の政治学者エリカ・チェノウェスによれば、三・五％の人々が立ち上がることで社会は変わる。[*4] その第一歩を、私たちは今こそ決意して、踏み出すべきである。本書の内容は、その際、必ず役に立つはずだ。

コモンの「自治」論　目次

第二章　資本主義で「自治」は可能か？　松村圭一郎
――店がともに生きる拠点になる

第四章　武器としての市民科学を　木村あや

第五章 精神医療とその周辺から「自治」を考える 松本卓也

装画　岡﨑乾二郎
「すっかり冷えてしまった自分のコーヒーカップに目をやった。ポットに残っているコーヒーを火にぶちまけ、その上に滓を落とす短い間にほんとうに次々いろんなことが起こった。昔は眠れないときウィスキーを飲んだものだが、どうしても今はホットミルクだ。ミルクを温めてスプーンで膜をすくいカップに注ぐ。冷めるのが待てなくても舌を火傷したりして、せっかくの幸せをぶち壊しにするわけにもいかない。空は灰色に変わり鳥が鳴きはじめている。こうやって僕は待って待って待ちつづけてきたものだ。それで?」
1997年 / ©Kenjiro Okazaki
撮影：中川周

第一章

大学における「自治」の危機

白井 聡

白井 聡
（政治学者／京都精華大学国際文化学部准教授）
一九七七年、東京都生まれ。一橋大学大学院社会学研究科総合社会科学専攻博士後期課程単位修得退学。博士（社会学）。主な著作に『永続敗戦論 戦後日本の核心』（石橋湛山賞・角川財団学芸賞受賞、太田出版／講談社＋α文庫）、『国体論 菊と星条旗』（集英社新書）、『武器としての「資本論」』（東洋経済新報社）、『主権者のいない国』（講談社）など。

▼新自由主義が損なう「自治」の能力

私の問題意識の出発点を端的に述べます。新自由主義がこの社会を席巻するなかで、私たちは「自治」の能力を育む機会を失ってしまったのではないか、という問題です。「自治」の担い手、その主体に「自治能力」、すなわち「自らが自らを治める」のにふさわしい「成熟」が求められるのは、当然です。しかし現代社会には、かかる「成熟」を構造的に損なわせ、不可能にする機能がビルトインされていると私は考えています。そのような機能を果たしているものこそが、新自由主義です。

現在の日本は、新自由主義に覆いつくされた社会になっています。ややステレオタイプな定義を参照するならば、人々のあいだの平等よりも、経済的な自由を重要視するのが、新自由主義です。具体的に言えば、公共によって担われてきた事業や制度を限りなく民営化して小さな政府をめざし、規制緩和によって市場原理・競争原理を強化する。それが新自由主義的な施策であると言われます。

そうした競争原理のもとでは、誰が勝とうが、負けようが、それは「自己責任」であるとされます。当然ながら、弱肉強食の新自由主義のもとで生き延びるためには、個人の「自立・自律・自己責任」が、かつてない水準で要求されています。

さて、この新自由主義が求める「自立・自律・自己責任」と、「自治」に必要な「成熟」を並べて考える時、まず押さえておくべきなのは、両者が親和的なものなのか、という問題です。

論理的には親和的でなければならないはずです。自立して自己を律することができる主体こそ、自己に対して責任ある態度を取ることができるわけで、そうした人々が集まれば「自治」が可能になる。逆に言えば、主体にそうした資質が欠けていれば、「自治」することはできず、上から統治されなければならなくなる。そして、責任ある主体になることが、「成熟」と呼ばれてきたのではなかったでしょうか。

ところが、「自立・自律・自己責任」を人々に要求する新自由主義こそが、「自治」に必要な人間の「成熟」を阻害しているのではないか、という矛盾、逆説がある。ここが重要なポイントです。

なぜ、そのようなことが起こるのかは、追って説明しますが、ともかく、この矛盾が赤裸々にあらわれている場が、数多く存在します。そして、その矛盾が際立って露《あらわ》になる場が大学なのです。

本来、若い世代の成熟を促すための場であるはずの大学が、「自治」の精神を失い、若い世代の成熟を育む場として機能しなくなっている、もっと言えば、新自由主義的な再編によって成熟を阻害する空間となっている。

当然ながら、「自治」の経験のない若い世代が社会に出ていけば、社会のなかの「自治」の契機はますますやせ細っていく。「自治」などというものはどうでもよく、大きな権力が決めた秩序に従って生きていけばよいという風潮が世の中に蔓延していくわけです。だからこそ、大学における「自治」の危機は大問題なのです。

▼資本のための大学でいいのか

この問題の背景を概観しておきましょう。周知のように、大学は「自治」の場であるべきだとされてきた歴史があり、その「自治」の中身には、おおよそふたつの意味が含まれています。

第一には、大学という空間の一般社会からの独立です。学問研究と教育を担う場として、政治の動向からも、経済的動機からも大学は独立しているべきだとされてきました。いわゆる「学問の自由」です。また、この理念を具体化するものとして「教授会自治」が長年うたわれてきました。

第二には、「学生自治」です。大学では公式の教育プログラム以外にも学生の諸活動があり、そこにおいては、学生がその主役たることは言うまでもないこととされてきました。サークル、クラブや学生自治会など、各種の自治組織がつくられ、自主的な活動に多くの学生が参加することで、自分たちで自分たちの秩序をつくり、運営する能力をつちかうことが良しとされてきました。

しかし今日では、こうした大学の自治の両方の側面がはっきりと形骸化しています。

大学の独立に関して述べると、一九九〇年代以降のいわゆる大学改革によって教授会自治の原則は次々と弱められていきました。文科省が旗を振るトップダウン式の改革を行ううえで、教授会は主たる障害と目され、攻撃にさらされてきたのです。

また、かつては「産学協同反対」が盛んに叫ばれていたことが忘却されているほど、今日の大学では、産業界の意向を受け入れ、他大学と競争をしながら予算を獲得することが自明視されています。大学の方針や教員の研究は経済の動向から一線を画しているべきだとする常識は過去のものとなり、「稼げる大学」といったスローガンさえもが、はばかりなく語られるようになってきているのです。

そうした状況のもとで、世間が大学を評価する基準、また学生を評価する基準が、「資本の役に立つ機関・人間であること」になるとしても不思議ではありませんし、実際にそうでしょう。若年層の市民的成熟を実現する場としての大学という理念は、どうでもよくなるのです。そのような意味で、新自由主義の波が大学を襲っています。

また、国立大学の授業料値上げや独立行政法人化、運営費削減、入試制度改革、単位認定の厳格化、シラバスの詳細化、度重なるカリキュラム改変などにより、大学ではブルシット・ジョブが大量発生し、教員が研究に割く時間も教育にかける情熱も削られてきました。このような状況によって教員が疲弊すれば、教員自身の公共的関心も低下します。

そして、現在進行形の問題として、学術界の軍事研究協力の問題も浮かびあがってきています。この問題は、菅《すが》政権による二〇二〇年の日本学術会議会員任命拒否事件に端を発するようにも見えますが、学術界を軍事技術開発へと動員したいという政治の意向はかねてからあり、この意向の露骨な表面化が事件発生の本質です。そして、学問は時々の権力の政治的意向から独立しているべきであるとする「自治」を論拠とした反論が、学術界の外からは少ないことにも注意を払うべきでしょう。

「学生自治の形骸化」も進んでいます。多くの大学で見られる学生自治会の機能不全、さらには活動停止や解散といった現象への社会的注目度は低く、京都大学における学生による立て看板に対する大学当局の撤去処分とそれへの反発や批判といった出来事が、近年ではわずかに注目を浴びているのみです。

「自治」の危機の深刻さは大学によって濃淡はあるでしょう。しかし、大学における「自治」は空洞化しつつあり、与えられた秩序に従っていく傾向が教員、学生ともに広がっているように見えます。

▼若者の成熟を阻害する社会

実際、学生たちのものの考え方も大きく変化しています。二〇二〇年九月三〇日の「朝日新聞GLOBE＋」に、「なぜ若者の政権支持率は高いのか 学生との対話で見えた、独特の政治感覚」という記事が掲載されました。[*1] このなかに駒沢大学教授で政治学者の山崎望氏のコメントが含まれているのですが、これが非常に印象的です。

第二次安倍政権の時代に、世間を騒がせていた森友・加計《かけ》学園問題について山崎氏がゼミ生たちと議論したところ、安倍政権を肯定する意見がゼミ生のうち七割を占める結果となったそうです。「何政権であろうと、民主主義国家としてよくないのでは?」と山崎氏が水を向けると、学生たちはきょとんとして「そもそも、総理大臣に反対意見を言うのは、どうなのかな」と答えたといいます。そして、政権に批判的な学生に対して「空気を読めていない、かき乱しているのが驚き、不愉快」とまで言い放ったそうです。ちなみにこの学生たちは山崎ゼミの学生でしょうから、政治学専攻の学生であったはずです。

これは山崎氏がたまたま遭遇した特殊な事例では決してありません。私も大学で教鞭《きようべん》をとっていますから、この雰囲気はよくわかります。民主主義社会においては権力に対して批判的な視点を持つことが当然で、これが正当にできることが主権者としての「成熟」である、といった常識はもう通用しなくなっています。こんな人々の集合体で民主主義など成り立つはずがありません。これが現実ですし、こうした若者が主流派であるのなら、日本社会の未来がますます暗いことは火を見るよりも明らかです。

もちろん、こうした若者の出現の責任は、日本社会全体にあります。「お上に逆らっても仕方がない」という態度は、何世代にもわたってこの国に巣くっているものだからです。

だからこそ、この問題に真剣に取り組まなければならない、悲惨な現実を直視しなければならないのです。もちろん教育に携わる立場にあるなら、若者たちが権力批判の視点を身につけられるように教育する必要がある。ところが、現実の大学ではこうした主権者としての成熟を促す教育は行われていません。教育放棄と言わざるをえないような状況が広がっている。これが今の大学の状況です。

▼新自由主義が奪う成熟、そして「魂の包摂」

もちろん、槍玉《やりだま》にあげられるべきは大学のみではありません。大学が空間として何らかの意味で劣化しているとすれば、それはより広範な、全社会的な空間の劣化の典型的なあらわれのひとつにほかなりません。

この章の最初で取り上げた問題に戻りましょう。新自由主義は「自立・自律・自己責任」を要求するとすでに述べました。そうでなければ、新自由主義の社会で生き延びることはできません。

それにもかかわらず、新自由主義的改革の進んだ大学が生んだのは脱政治化した教職員と、「自立／自律した主体」として成長する機会を奪われた学生たちです。新自由主義的な空間が、本来そのイデオロギーが前提とするはずの「自立／自律した主体」からかけ離れた主体を生産するという逆説がここにはあります。なぜそのような矛盾が起きるのか。そこを掘り下げねばなりません。

このことに関連して、フランスの哲学者ベルナール・スティグレールは著作『象徴の貧困』で次のようなことを述べています。いわく、資本主義の高度化が行き着くところまで行くと、やがて資本主義の価値観を完全に内面化して、自己というものを失った人間が出てくる。[*2]

マルクスの概念を用いて言えば、これはすなわち人間の思考・価値観、さらには感性までもが資本によって包摂されてしまうということでしょう。この場合の「包摂」とは、「subsumption」という概念で、社会学でよく言われる「inclusion」(こちらも「包摂」と訳されますが)とは異なります。後者は、社会のなかに居場所を与えて取り込む、というようなポジティブな意味合いで使われるのに対し、マルクスの言う「包摂」は、もともと「労働の資本のもとへの包摂」という概念として使われたものです。

それは要するに、誰の指図に従うこともなく自律的に働いていた人が、資本家に雇われて賃労働をするようになると、資本の用意した生産手段や原料を用いて、資本の指図に従って働くようになるということです。マルクスの言う「包摂」には段階があって、生産現場で分業が細分化され、機械化が進むと「包摂」が高度化します。だんだん、人間の働きが何かをつくっているというよりも、機械の動きに人間が合わせなければならず、人間が主役でなくなってくる。ついには、人間が機械の一部になってしまう、というわけです。

二〇世紀も末になってきた時、マルクス主義者たちは、「包摂」は生産過程に留《とど》まらないのではないか、ということを論じ始めました。つまり、「包摂」は生産過程で完結せず、労働の局面以外の人間生活の全過程におよんでくるのだ、と。その究極的な帰結として、人格の全体というか、価値観や意識など人間のいわゆる人間的な部分までもが資本によって包み込まれてしまい、その増殖運動に取り込まれてしまう。そうした事態を彼らは指摘しました。「魂の包摂」と呼ぶべき段階です。新自由主義は、この事態をさらに進めたのです。

▼「六八年」以降の反革命

前述の学生の事例に見られるような脱政治化をもたらす新自由主義について、マルクス経済学者のデヴィッド・ハーヴェイは、「資本家階級の側からの階級闘争である」という趣旨の指摘を行っています。[*3] 第二次世界大戦以降の世界史を大づかみに言えば、多くの国で社会の平等化が進んでいったのですが、その流れを逆転させる試みが新自由主義的な政策でした。

その過程を考えるうえで、見落としてはならない歴史的なエポックが一九六八年の社会運動です。フランス五月革命では、学生の反乱に労働運動が合流し、ゼネラル・ストライキが数週間、続きました。同様の動きは、欧米のいくつもの国で起きました。日本の全共闘運動もこの流れのなかの出来事です。

しかし、やがて六八年の動きは下火となり、一九七〇年代以降は、一挙に社会を転覆させるような「革命」の観念は忘れ去られ、「改良」主義的な福祉国家体制しかありえないという観念が世界的な常識になっていきます。そこでは、ある程度の「平等」が実現されもしたわけですが、青年層でもそれ以上の年齢層でも政治的な熱気は低下しました。

そしてその後、さらなる脱政治化と「持たざる者から持つ者への逆再分配」を推し進める「反革命」、つまり新自由主義が誕生したのでした。まずは、現代の「自治」の精神の欠如は、こうした歴史的展開のなかで生じていることに留意しておきましょう。

▼全共闘運動――前衛と大衆の乖離から政治嫌悪へ

世界的動向とは別に日本の大学の状況を仔細《しさい》に考えるために、日本の学生紛争を見ておきましょう。ここからは、日本の学生紛争に絞って、六八年の運動が抱えていた問題に言及したいと思います。

一九六八年に始まる東大全共闘の運動は、日本の学生紛争のシンボルとも言えますが、それが頂点に達したのは、機動隊との衝突にまで至った安田講堂事件（一九六九年一月）でした。

着目すべきは、東大全共闘で掲げられていたスローガンが「大学解体」や「自己否定」といったものであったことです。これはどういうことでしょうか。権力を批判する場合、その批判の対象としての権力とは国家や資本を指してきたわけですが、全共闘はそこから先に進んだ。いわく、国家や資本と結びついている大学もやはり権力である。そのため、大学当局をも厳しく批判しなければならないし、大学そのものも解体しなければならない。こうしたロジックを彼らは持ち込みました。

さらに続きがあります。大学を批判するのであれば、東大に入って社会的エリートをめざそうとしている我々学生たちも、プチブル的な自己を否定しなければならない――こういう論理展開から「自己否定」が出てきたのです。

こうしたスローガンは、日本の六八年の運動がはらんでいた独特の内向性を言い表しており、その内向性はやがて観念的先鋭化に導かれていったように思われます。そもそも自分はプチブル的だと悩むことができるのも、つまるところ特権ではないのか。そうした煩悶《はんもん》が何か具体的な実践に資するところがあるのでしょうか。こうした先鋭化は、あらゆる政治運動において避けがたい「前衛と大衆の乖離《かいり》」を広げることに帰結します。

日本の六八年の特徴は、「革命的主体」の析出に強くこだわったところにあったように見えます。自分は本当に革命的なのか、革命を語るに足る人間なのか、といった自己審判を重ねなければならないという雰囲気が、同時期の世界の若者たちの運動に比べて顕著に強かった。結果的に、それは六八年の運動を行き詰まらせる一因となったように思われます。というのも、「自己否定」を突き詰めれば、あの連合赤軍事件の「総括」が出てくるからです。つまり、集団内でのリンチや殺害です。この事件の発生は、当然のことながら、社会の左翼運動への視線を強烈に冷え込ませ、政治運動が「関わってはいけない」ものと見られる要因となりました。

▼日大紛争——温存された腐敗の構造

もうひとつ見ておきたいのが、東大闘争より早く全国の運動に大きな影響を与えた日大紛争です。当時の日本大学では「会頭」という学内最高ポストについていた古田重二良《じゅうじろう》氏が絶大な権力を握っていたのですが、その古田会頭体制のもとで巨額の使途不明金が発覚しました。

これに多くの学生たちが激怒し、「日大全共闘」が結成され、一九六八年六月にはバリケード・ストライキに突入します。保守的風土の強い日大で、激しい学生運動が発生したことは、社会に衝撃を与えました。そして九月四日、ストライキの強制排除のために機動隊が動員され、学生たちと激しく衝突、機動隊員一名が死亡します。その後も激しい衝突が続くなか、九月三〇日に全学集会が開催され、経理の公開や理事の退陣など、学生たちの要求をのむところまで日大当局は追い詰められました。

ところが、ここで国家権力の頂点が介入してきます。佐藤栄作首相が「大学紛争が大衆団交で解決されるのは常識を逸脱していると思う。法秩序の破壊すら進んでいる。いまや政治問題として取り上げる段階にきた」と発言しました。*4

政府の後押しを受けた日大当局は、学生たちと結んだ約束を反故にします。日大全共闘幹部たちには逮捕状が発行され、運動は急速に退潮していきます。こうして、結果的には、日大当局と政府は、狡猾な連携によって学生たちの反乱を骨抜きにすることに成功しました。

日大紛争のもうひとつの特徴は、大学当局がデモやストライキを潰すために、右翼勢力のほか、柔道部、相撲部など体育会の学生を動員したことでした。そして、日大では、大学紛争潰しに駆り出された体育会の学生たちが卒業後、大学の職員として雇用されるというケースが出てきました。

この経緯は、半世紀後の二〇一八年に再びクローズアップされることになります。日大アメリカンフットボール部の「危険タックル」事件（相手選手を潰すように監督が指示していた事件）が発生したことで、体育会が権勢を振るう日大の学内行政のあり方そのものが問題視されましたが、理事長だった田中英壽《ひでとし》氏がまさに先述のパターンで職員となった人物であり、日大紛争の際に全共闘を弾圧していた相撲部員だったのです。[*5] 正当な要求を潰す側の人間が出世するという構造が、垣間《かいま》見えます。

そして、このアメフト部の事件により支配構造の異様さが表面化したにもかかわらず、日大の浄化は実行されず、田中理事長時代が続き、ついには日大は巨額の金銭スキャンダルを引き起こし、田中理事長は脱税の容疑で逮捕されました。このようにして日大は、六八年にあれだけの大紛争が起きたのに少しも変われなかったという虚《むな》しい事実を満天下にさらしました。そして、今回は六八年の時と異なり、学生の抗議集会などの運動は一切見られません。

▼大学当局が恐れた共産党の伸長

一九六八年以降の革命運動では、中核派と革マル派の抗争や同じ党派のなかの内ゲバが激化していきます。私の母校である早稲田大学を例にとると、一九七二年に川口大三郎事件という革マル派による凄惨な殺人事件がありました。本当はどこの党派にも所属していなかった川口氏を宿敵・中核派であるとみなした革マル派が、学生自治会室に彼を拉致し、八時間にもわたるリンチを加えて殺害した事件です。[*6]

その後も中核と革マルの殺し合いはやむことがなく、内ゲバによる最後の死者が出たのはなんと一九八九年ですから、二〇年にもわたり両派は殺し合いを続けていたことになります。

ここまで異常な暴力が大学内で横行していた背景に、早大当局の問題があります。川口大三郎事件の後、自治会の刷新を求める大勢の一般学生の声を無視し、早大当局は革マル派に牛耳られた自治会執行部を温存しました。

なぜそのような状態が容認されたのかと言えば、大学当局が共産党の伸長を恐れていたからだという証言があります。[*7] 共産党は民主青年同盟（民青）という学生組織を持っていますが、それは他党派同様、自治会組織を掌握しようとします。しかし共産党の伸長の特徴は、そこに留まらない点にあります。六〇年代には新左翼が勢いづいたとはいえ、共産党の持つ組織力は新左翼諸党派よりもはるかに堅固です。ゆえに、学生組織のみならず教職員の労働組合にも浸透することが恐れられたのです。さらには、共産党系の教員が増えれば、教員人事にも影響がおよぶのではないかとも大学当局は危惧していました。

つまり、共産党の勢力拡大を野放しにすると、学生組織レベル、労組レベル、教員人事レベルにおいて共産党に大学を「乗っ取られてしまう」という恐怖感があったわけです。彼らの懸念が妄想的であったとは私は思いません。実際、それほどの力が共産党にはあった。それゆえ共産党をのさばらせるくらいなら、共産党とも対立する革マル派を容認したほうがよい、という計算が働いていたのでしょう。革マル派と早大当局の蜜月の関係は、一九九四年まで続きました。その時点で早大当局が革マル派を切ることができたのは、共産党の力が減退して、脅威でなくなったからだと推論できます。

こうした構図は、さまざまな大学の当局が統一教会の活動を容認する背景でもありました。統一教会の学生組織は原理研究会ですが、一時期この団体の活動は相当に活発なものとなりました。教員のなかに統一教会のシンパサイザーがいたことすら疑われます。少なくとも、一部特定の大学教員が彼らに対して好意的に振る舞っていたことは間違いありません。統一教会は反共産主義ですから、共産党の活動を抑え込むうえで役に立つという判断をしていたと推測されます。

▼大学紛争のトラウマとカルトを使った「正常化」

以上の経緯をまとめましょう。もともと大学では、学生たちの自主的なクラブやサークルなどの活動においては、学生同士で自主管理をする自由があり、そうした場は「自治」を学ぶ絶好の空間でした。

ところが、大学紛争を契機に学生の自主管理は抑圧されていきます。大学当局や国家にとって全共闘の時代は悪夢そのものでした。日本の大学は、このトラウマを動機として学生自治に対する抑圧へと向かったと言ってよいでしょう。そこで指摘されるべきは、抑圧の主要対象は暴力的に先鋭化した党派的な学生運動家たちではなかった、ということです。

大学当局にとって、脅威はふたつだった。ひとつには、大衆的で無党派的だが声をあげるようになった学生たち、代表的にはノンセクト・ラジカルを名乗った学生たちです。第二には、ノンセクト・ラジカルと対極的なのですが、最も組織として強固な党派である、共産党だった。

このふたつを抑えるために大学が起用したのが、日大の場合は体育会であり、早稲田の場合は革マル派だった。そして多くの大学で原理研の活動が容認されました。革マル派と原理研には共通点がある、それはすなわちカルト的だということです。体育会もまた、しばしば反共右翼勢力と親和性が高い。要するに、大学紛争から「秩序」を取り戻すために、大学当局が選んだパートナーは、左側のカルトと右側のカルトであったということではなかったか。

その延長線上にでき上がった秩序は、大学側からすれば、大学紛争という「異常」な事態から「正常化」された状態と言えるかもしれません。大学当局や国家権力と学生たちが時に暴力的に衝突する異常な状態から抜け出し、ノーマルな状態になったことは歓迎すべきだというわけです。

連合赤軍事件、中核派と革マル派を中心とする内ゲバを経て、急進左翼の政治運動は恐怖と嫌悪の対象となり、一般の学生たちは大学における政治運動から総撤退していきます。こうして一九八〇年代以降、大学はレジャーランド化し、政治にコミットすることはダサいと忌避されるようになった時代に、一方では学生自治の機関が大学当局の黙認のもと、カルトにゆだねられていたことは、記憶しておかねばならないと思います。それは、一般学生に身近な政治への忌避感を抱かせるには格好の状況であったでしょう。

そして、キャンパスが脱政治化された一方でカルトには寛容、という状況が何を引き起こしたか。それはオウム真理教事件です。あの一連のテロ事件を引き起こす前、オウム真理教団は多くの大学でダミーサークルを活動させ、それらを通じて若い信者の獲得に成功していました。

▼空間の新自由主義的再編

さらに時代が下って、二〇〇〇年代になると、大学では「空間の再編」が本格化していきます。それは、社会の新自由主義化の大学への浸透の新段階であったと言えるでしょう。そこで行われてきたのは、まさに新自由主義的な空間をつくるジェントリフィケーションであったからです。

再び早稲田大学を例にあげると、サークルの部室などが入っていたふたつの学生会館が建て替えられ、ひとつの学生会館に集約されました。

それ以上に問題だったのは、各校舎の地下部室とラウンジのサークル・スペースが廃止されたことでした。地下部室とは、その出自をたどると、大学紛争当時に学生たちが占拠した空間が、その後もずっと学生のスペースとして継承されてきたものだったようです。ラウンジのサークル・スペースとは、各校舎にあったラウンジのテーブルがそれぞれ決まったサークルによって継続的に使用されてきた状況を指します。学生会館だけでは部室が到底足りないので、活動場所や溜《た》まり場を学生会館に確保できなかったサークルは、こうした地下部室やラウンジに空間を確保していました。どちらの場合も、何か公の根拠にもとづいて占有されていたわけではなく、慣習というか、代々続いてきた既得権益というか、根拠は曖昧ではあるけれども、特定の空間が特定のサークルによって継続的に使用されていたわけです。

二〇〇〇年代前半に早大当局が始めたのは、これらの空間を潰すことでした。大学側の言い分は、もともと学生会館以外の校舎はサークルのためのスペースではないので、本来の用途である教室に戻す、それから本来すべての学生の使用に開かれているべきラウンジ・スペースが特定のサークルによってのみ使われているのはおかしい、というものでした。「教課分離」ということも言われました。「教育活動」の空間と「課外活動」の空間は分けるべき、といった理屈でした。学生団体のつくる立て看板の類いへの規制も強化されました。

こうして学生会館以外の場所からサークル・スペースが一掃されてしまったのですが、唯一の例外が大隈《おおくま》講堂裏を根城にしていた演劇研究会でした。なぜここだけ特別扱いなのかと言えば、このサークルが俳優を輩出してきた、早稲田で最も有名なサークルだからでしょう。こういう対外宣伝に使えるところにだけは手を出さないというわけで、商魂の逞《たくま》しさがよくあらわれています。

新しくつくられた学生会館の特徴は、セキュリティの強化です。大学当局の目の行き届く形で管理された空間になったわけです。かつての学生会館にあった少し怪しげな雰囲気、実際によくわからない学外者などがうろついていたわけですが、そうした空気は失われたのかもしれません。

同じ時期の二〇〇一年には、東大の駒場寮の学生たちを立ち退かせるための強制執行が行われています。学生自治寮だったにもかかわらず、学生たちの合意を得ることもなく、廃寮は決定され、法廷での闘争になっていたのです。駒場寮もやはり学生運動の拠点となっていた場所です。

二〇二二年夏に東大・駒場キャンパスで開催された講演イベントで、哲学者・柄谷行人《からたにこうじん》氏が自身の東大生時代を振り返っていました。[*8] 柄谷氏はほとんど授業に出ず、いつも駒場寮で過ごしていたそうです。興味深いのは、級友だった西部邁《にしべすすむ》氏や教員だった廣松渉《わたる》氏などが駒場寮に訪ねてきて、延々とさまざまな議論を交わした、と振り返っていたことです。これは、駒場寮が知的生産の空間としていかに重要な機能を果たしていたかという証明です。その時に行われた対話が即時に何かを生み出したわけではありません。しかしながら、長い時間をかけて発酵し、後に大輪の花を咲かせたことは明らかです。

実際、駒場寮出身の知識人、文化人は枚挙に遑《いとま》がありません。あるいは、倉庫になっていた駒場寮内の旧食堂で演劇を勝手に始める学生たちがおり、それがやがて駒場小劇場となり、夢の遊眠社の野田秀樹などの才能も輩出されました。

現在、駒場寮の跡地には、大学側の管理の行き届いた、小綺麗《こぎれい》な駒場コミュニケーション・プラザがそびえ立っています。しかし、そこには、駒場寮にあった「学生自治」はありません。ちょうど今問題になっている京都大学の自治寮・吉田寮の明け渡し訴訟も同じ文脈です。先述した京大の立て看問題も、大学側は景観維持を理由にしていますが、京大の立て看板について「景観を乱している」などと抗議する京都市民が多数いる、といった話は聞いたことがありません。

こうした動きのすべてに共通した点があります。それは、具体的な動機が見えないことです。だから、その動機をあえて名指しするならば、一種の嫉妬深さのようなものでしょう。新自由主義化した権力は、管理の行き届かない、自分の目の届かない空間が存在することが許せないのです。その場所で何か悪いことが行われているかどうかが問題ではない。何が起きていようと、管理下にない空間があること自体が、あってはならないこととされるわけです。こうした空間の再編成の結果、大学がどのような空間になったか、それを次の節で見ることにします。

▼孤立させ、管理せよ

ひとことで言えば、大学の空間はとてつもなく貧しくなりました。どのような意味で貧しくなったのか。

ひとつには、人に居場所を与えなくなりました。サークル・ラウンジの廃止などその典型なのですが、その廃止の根拠は一見正論です。確かに、本来公共のスペースである場所を、特定の団体が占有しているのはおかしいのかもしれない。

しかし、その結果発生したのは、「便所飯」と呼ばれる悲惨極まる現象でした。サークルの空間は、そこに帰属する人間が、ユルい姿勢で出入りできる場所でした。だからたとえば、昼ご飯を買って、さてどこで食べようか、という時に、何となくそこに足を運ぶとそこには顔見知りの仲間がいて、一緒に飯を食う。別に特別に仲がいいから一緒に食事をしているわけではない。けれども、そんなことをしているうちに、とても仲よくなったりするかもしれない。私的空間でもなければ公的空間でもない、いわゆるサードプレイスですが、サークルの空間とはまさにそれであって、ともかくもそこに行けば、ここは自分の場所だと感じることができて、快適だったわけです。

こうした曖昧な空間を潰した結果何が起きたか。飯を一緒に食う相手のいない学生が、ひとりで食事しているところを見られたくないので、トイレに入って飯を食っているという事態です（便所飯）。ここまで人を追い込むなど、ほとんど人権侵害なのではないでしょうか。

何となく「私はここにいてよいのだ」と思い込める空間がない時、あらゆる空間は「私がここにいてよいということを自ら証明しなければならない」空間になります。そのような空間は、自意識の闘争の場所になってしまう。そのような空間では、一緒に飯を食う相手もいないような、人気がなくコミュ力を欠いた人間は、身の置き所がない。ゆえに恥ずかしいので、便所に身を隠して飯を食うしかないのです。空間を公的なものであるとして万人に開いたはずが、そこは己の自意識を持ち寄って「万人の万人に対する闘争」が繰り広げられる地獄のような場所になってしまいました。

もうひとつの貧しさは、孤立から来るものです。今、述べたように、適当に人が溜まることのできる場所が大学からなくなった。柄谷氏のエピソードにあったように、まさにそうした場所でこそ、知的生産が行われてきたのです。私自身の経験に照らしても、そうであったと思います。大学が知的生産の拠点であることの根拠は、そこでさまざまな人間の知性の交流が生じるということに尽きると言っても過言ではない。しかし、今の大学では、「ここが自分の居場所だ」と誰も感じられない。そんな場所に人は溜まりません。人が溜まらない場所では交流も生まれません。当然のことながら、知的生産の拠点として大学は貧しくなるほかありません。

溜まる場所がなければ、皆バラバラになっていきます。こうした流れに拍車をかけるように、二〇〇〇年代以降の大学では「孤立のテクノロジー」とでも呼ぶべき技術が導入されていきます。要するに、他人とできるだけ関わらないで学生生活を送ることができ、卒業もできるようにするテクノロジーが導入されてきたのです。具体的には、オンラインやオンデマンドなどの授業形態を思い浮かべる人が多いでしょう。こうしたITを用いた「脱交流」はコロナ禍のもとで大幅に加速しましたが、それ以前から進んでいたことに注意すべきです。

少し前までの世代の学生にとっては、教室に行くよりサークルの部室で友人たちと議論しているほうが面白いことも多く、授業に出ないことも当たり前でした。教室でなく雀荘《ジャンそう》に行ってしまうことも多かった。そんな状態でどうやって試験を乗り切るのかというと、さまざまな交友関係のネットワークを通じて講義ノートや模範解答や過去問を入手し、試験対策をしていたのです。言ってみれば人間関係でもって単位を取っていたわけです。

　これに対して、今日の大学の学生たちは、とにかく授業に出るよう指導され、管理されています。それと同時に、大学側はオンラインやオンデマンドだけでなく、非常に親切な情報提供を行っています。欠席者のためにポータルサイトに授業で配った資料をアップし、学生からの質問への回答をアップし、といった具合です。私の大学生時代の途中でメール・アドレスを持つことが一般化したのですが、それ以前には、休講の連絡すら来なかったわけです。大学に来て初めて休講掲示を見て、「あぁ、今日は授業ないんだ！」と気づき、時間をもてあまして、サークルの溜まり場に立ち寄るといった時代でした。教員が授業開始後三〇分経《た》ってもあらわれなかったら休講とみなす、というようなルールもありました。もし今、教員が無断休講などやったら、大変なことになります。

　それはさておき、昭和や平成の時代と違い、至れり尽くせりで情報提供をしてくれるので、人間関係がまったくなくても単位が取れるというのが重要な点です。それを可能にしたのが各種のＩＴであるわけですが、これが私の言う「孤立のテクノロジー」です。大学当局が、学生たちを孤立へと誘導するテクノロジーをどんどん発達させてきたのです。

　孤立させて管理する、これが空間の新自由主義的再編の原則であったようです。そしてこれは、学生というか学資負担者＝親たちが望んだことでもあるのです。むしろ、それこそが根本動因であったと言うべきかもしれません。彼らは、子どもの学費を払って「教育商品」を買いました。教育商品の消費者としての権利主張として、彼らは管理を要求するわけです。学外者がうろついているような空間は危ないじゃないか、立て看板だらけのキャンパスは見た目が汚いじゃないか、もっとちゃんと管理しろ、と。そして何よりも、授業をしっかり受けさせろ、レジャーランドだなんていい加減にしろ、出席を管理して我が子を授業にしっかり出させるようにせよ、半年で一五回授業をやるのが原則なのだから一四回しか行われないのはおかしい等々の要求がなされ、それに応える形で規制当局＝文部科学省は、大学に対して管理強化の要求を強めてきました。

管理者側である大学が、目の届かない空間があることを徹底的に嫌うということはすでに述べた通りですが、その際限のなさは、管理することが大学の自発的な欲求ではないからかもしれません。どの程度管理するべきなのか、大学自身がわからない。そもそもそんなことは望んでいないから。管理強化は消費者の要求に応えてのものである以上、どの程度が適切なのか自分ではわからない。ゆえに、いくら管理強化をしても、管理し足りない。管理を強化すればするほどさらに強化しなければならないような気がしてくる。神経症的な状態です。

管理への欲望がどれほどのものになっているか、エピソードをひとつ紹介します。今、私は京都の立命館大学の近くに住んでいるのですが、近所には学生向けの食堂やカフェなどがあり、学生街が形成されています。しかし、近頃の学生たちはキャンパス内の学生食堂で食事をすませるので、その学生街も衰退の憂き目にあっています。なぜ学生街に学生たちが出ていかないのか、その理由を知り合いの大学職員に尋ねると、構内の学生食堂で安くすませたいという経済的な事情だけでなく、親が子どもたちに学食で使えるプリペイド・カードを買い与えているからだというのです。

　このプリペイド・カードは学食で使うと、何を食べたのかというデータが親のもとに届く仕組みになっているそうです。親たちが逐一、子どもたちの食事内容をチェックしているかどうかはわかりません。しかし、学生の側からすると、離れた場所にいる親から「見られている」という意識を内面化することもあるでしょう。ひとりの大人として、自立しようとしているはずの場にいながら、食事の管理までされるようになっているのです。そして、親のほうも子どもの自立より管理を選んでいるわけですし、大学だけでなく、生協までもが自立を阻害する管理のツールを喜んで提供しているということです。

　こうして生まれたのが、人（学生も教職員も）が孤立させられたうえで徹底的に管理される無菌空間のごときものです。まとめるならば、大学紛争に対する反動として、カルト支配とレジャーランド化の時代があった。そして、レジャーランド化への批判・反動として、管理の要求が高まった。それは、消費者の論理にもとづく要求でした。こうして、新自由主義的な空間再編は、大学を「安全安心」な場所へと無菌化することとなりました。

　そうした空間では、大衆的政治運動はなく、政治セクトはおらず、それを抑えるカルトももはや不要です。この管理空間が、孤立をもたらすのもある意味で理に適《かな》っています。なぜなら、人間同士が深い関係を持つからこそ、さまざまな問題事が生じうるわけで、トラブルフリーの「安全安心」空間をつくりたいならば、人間を孤立させたほうがよい。

　このようなものとして、新自由主義空間としての大学が成立しました。時に危険もある空間のなかでさまざまな経験を積んで成熟するための空間、そのような「主体」を生み出すための空間では大学はもはやない。しかし、それは別の種類の主体を生み出すことになります。それこそ、本章の最初に紹介した山崎望氏が出会った学生のような主体です。

▼「自治」を奪う大人たちの責任

論じてきたように、いまや大学は若年層の市民的成熟を実現する場として成立しえなくなっています。学園紛争の反動であらゆるリスクを排除し、学生を保護した結果、逆説的に市民的成熟の機能が失われてしまったのです。

学園紛争は、高校段階での教育についても大きな影響を与えました。紛争が全国の高校に広がるのを恐れた文部省は、「高等学校における政治的教養と政治的活動について」(昭和44年10月31日文部省初等中等教育局長通知)という通知を出し、教育の場面から政治的なものを排除し、高校生の政治的な活動を「教育的な観点からみて望ましくない」としました。

極端に厳しい校則などを強いる、いわゆる管理教育も、一九六八〜六九年ごろから増えていきました。それでも、まだ大学に「自治」の空間があれば、社会に出る前に「自治」の空気に触れることもできたはずです。ですが、それはすでに大きく損なわれています。今日の大学には立て看板もなく、ビラを配っている学生も見かけません。二〇一九年には、東洋大学の学生が同大学で教授を務めていた竹中平蔵氏を批判するビラを配っただけで、職員が飛んできて退学処分をちらつかせるという事件もありました。[*9]

確かに学生たちがカルト宗教やカルト化した政治セクトに勧誘され、のめり込んでしまう危険性はほぼなくなりました。しかし、あらゆるリスクを排した結果として出現したのは、極限的な受動性です。大学は学生たちから市民的成熟はおろか、民主主義社会における主権者としての最低限の精神態度すら奪ってしまったのです。もちろん、そうした状況を生んだのは、大学の教員をはじめ、あらゆる大人たちの責任ですが、こうした主体の登場、群生こそ、いまだかつてない最大のリスクではないでしょうか。

▼「自治」の実質を取り戻す

日本財団が二〇一九年九月下旬から一〇月上旬にかけて、日本やアメリカ、イギリス、ドイツ、中国、インドなどの一七～一九歳を対象として「一八歳意識調査」を行いました。ここでは「自分を大人だと思う」「自分は責任がある社会の一員だと思う」「将来の夢を持っている」「自分で国や社会を変えられると思う」「自分の国に解決したい社会議題がある」「社会議題について、家族や友人など周りの人と積極的に議論している」という質問が設定されたのですが、すべての項目で日本の若者が最も低い数字をマークしたことが話題になりました。

これらの調査項目への回答は、日本の若年層が厳しい精神状態に追い込まれていることを物語っています。自分が社会の一員と感じられず、社会に対して希望を持てず、公共的な事柄について語り合う相手もいない。そうした砂漠のような生活に精神的充実があるはずもありません。

各国の18歳の意識調査

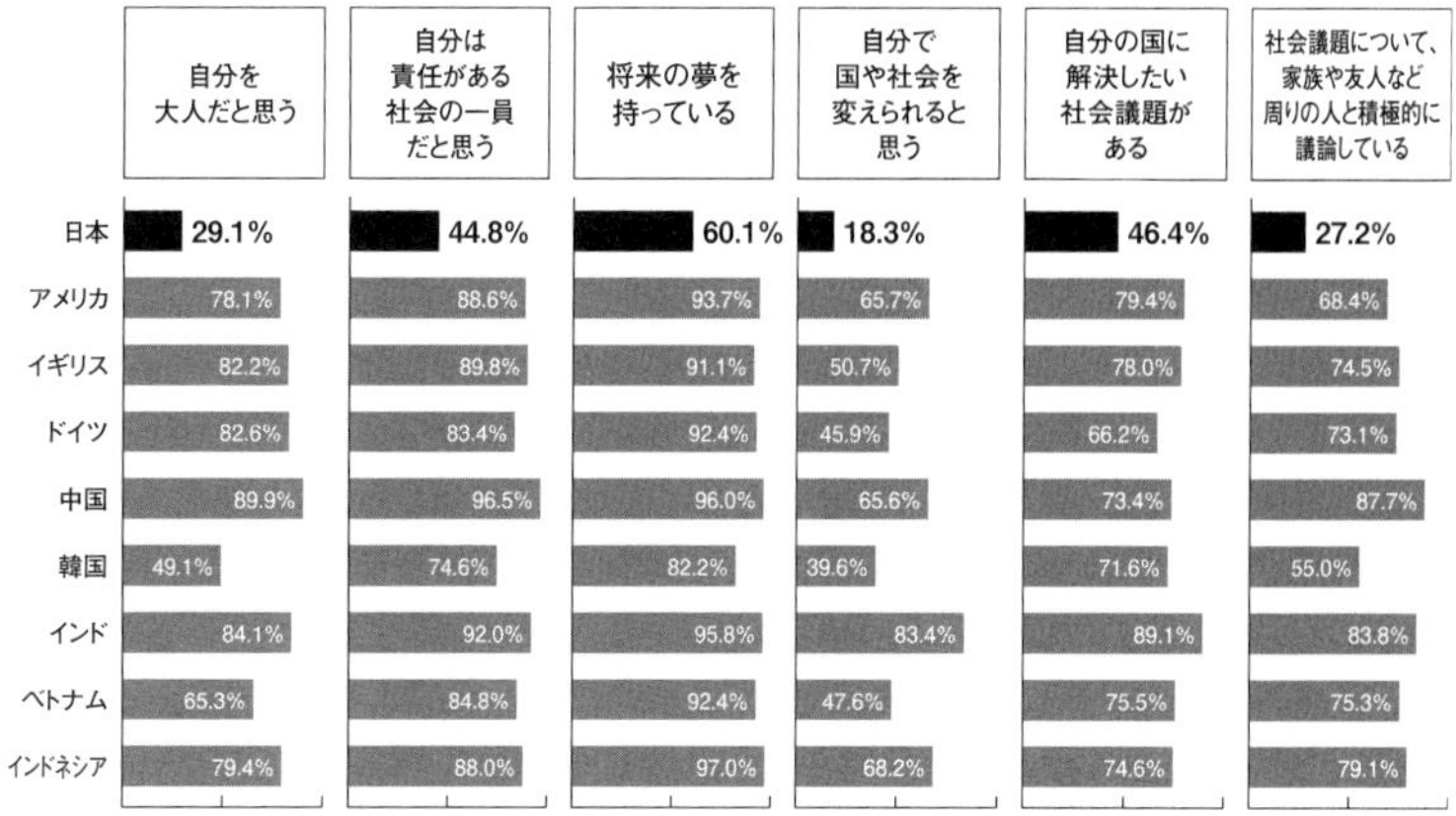

出典：日本財団「18歳意識調査・国や社会に対する意識」（2019年）

実際、今、大学では学生の「心の問題」が急増しています。若年層から公共的関心を失わせ、社会批判的意識を抜き去り、無菌室に閉じ込め、精神を完全に管理しつくせるような環境ができ上がった瞬間に、管理対象たる学生の精神が耐えきれなくなってしまったのです。

その一方で、大学は公共的関心を持っていることを世間にアピールすることには熱心です。それはたとえば「多様性」「社会に開かれた」などのお題目としてあらわれており、近年の大学の広告にはそのような言葉が躍っています。

しかし、大学が社会に開かれていれば、政治党派やカルトに侵入されるリスクが高まりますし、多様性とは正体不明者が学内をうろついている状況を指しているはずです。言うまでもなく、これらのお題目はこうした可能性を想定していません。ゆえに、無菌室と化した今日の大学で、これらの標語が何の「実質」も伴わないことは明らかです。

大学が本来取り組むべきは、これらの標語を単なるお題目とせず、「実質」を伴ったものにすることです。

ここまで「自治」を支える土台であるべき人間の社会性・公共的関心の基礎が深刻に損なわれているという現実と、そこに至った歴史的経緯について説明してきました。率直に言って、私は日本の大学が「実質」を回復した空間として再生する可能性について懐疑的です。もちろん大学内部の人間としてその再生に向けて努力はします。しかしながら、いまや市民的成熟を達成しうる空間は、大学や公教育とは別の場所に求められるほかないのではないか、とも思います。

いずれにせよ、本章で何が「自治する主体」の生成を損なっているのかについて、何らかの認識を示すことができたのではないか、と考えます。本章で指摘した問題を乗り越える試みが、新しい「自治する主体」を可能にするはずだと確信しています。

第二章

資本主義で「自治」は可能か?
――店がともに生きる拠点になる

松村圭一郎

松村圭一郎
（文化人類学者／岡山大学文学部准教授）
一九七五年、熊本県生まれ。京都大学大学院人間・環境学研究科博士課程修了。所有と分配、海外出稼ぎ、市場と国家の関係などについて研究。主な著作に『うしろめたさの人類学』（ミシマ社、毎日出版文化賞特別賞受賞）、『くらしのアナキズム』（ミシマ社）、『はみだしの人類学』（ＮＨＫ出版）、『旋回する人類学』（講談社）など。

▼「自由」や「自治」は歓迎されなくなった？

この章を始めるにあたって、二〇二一年に亡くなった那須《なす》耕介さんという法哲学者の言葉を紹介したいと思います。彼は「『自由』が、もう人びとから歓迎されなくなってきている、理念として魅力的でなくなってきている感じがする」とおっしゃっています。[*1]

ここで言われている「自由」には、自分の意志で自ら選んで決めるという意味合いが含まれています。つまり、自分たちでものごとを決める「自治」のベースになるような「自由」です。

では、なぜ自分たちで意思決定をする「自由」が忌避されるようになったのでしょうか。「自分に自由が与えられると、自己責任だと言われて、そのツケは全部自分に回ってくる」からだと那須さんは言います。コロナ禍などの状況においても「なるべく国が方針を決めてくれたらありがたいと、法、特に国の強制力に頼っている」のが現状で、「権力の手は借りない」という考え方が弱くなってきているというのが、彼の分析です。

私たちは「自ら治める」こと、つまり「自治」などという、面倒なことに関わるよりも、自分たちとは次元の異なる上からの権力によって統治されたがっているのではないか。そう、那須さんは問いかけているのだと思います。

社会のある一面を見れば、そんな空気も確かに感じます。たとえば、第一章で白井聡さんが大学における「自治」の衰退を分析したように、誰かが決めてくれたルールのなかで教え、学び、活動すればよいと考える教員や学生が大学でも増えています。白井さんは、そうした風潮の大きな原因のひとつとして、大学の新自由主義化、あるいは社会全体の新自由主義化をあげていました。確かにそういう背景もありそうです。

では、新自由主義という大きな波、あるいはその前提にある資本主義の波にのみ込まれてしまっている私たちは、この後、永遠に「誰かに統治をお任せする態度」から抜け出せないのでしょうか。市場経済にもとづく資本主義を転覆でもしない限り、私たちの「自治」の力は減衰するばかりなのでしょうか。

これが、この章全体として考えてみたい問いです。大学や会社などの小さなコミュニティで「自治」する力が失われたとしたら、社会全体の新自由主義化の潮流に歯止めをかけることは困難に思えます。そこに希望はまったくないのでしょうか。

私が研究する文化人類学の立場からは、必ずしもそうとは言い切れないと考えています。新自由主義化が進む現代の資本主義のもとでも、ある種の「自治」への契機は常にあちこちで芽生えているのではないか。これが、この章で考えてみたい論点です。

▼貨幣経済の浸透で薄くなる人格的なつながり

もはや「自治」など無理なのだと絶望的になる背景をいま一度、私なりの視点で整理しておきましょう。貨幣を介した商品交換にもとづく市場経済や資本主義が「自治」の基盤を壊してしまう理由を考えておくことが、議論の前提になるからです。

まず参照したいのは、ドイツの哲学者ゲオルク・ジンメルが書いた『貨幣の哲学』(一九〇〇年）という古典です。ジンメルはこの本で、市場経済を動かしている貨幣の特徴として三つのポイントをあげています。[*2]

1．貨幣は単なる手段である限りにおいて純粋な潜勢力を示す（＝これであれを買うことができる）
2．貨幣は無性格という消極的な概念で示される積極的な性質を持つ（＝貨幣自身は価値を持たない）
3．貨幣は完全な形式においては絶対的な手段である（＝お金を払いさえすれば、値段がつくものは何でも手に入る）

特に注目したいのは、3です。商品であれ、サービスであれ、現代の私たちはお金を持ってさえいれば、他人のことを考えずに自分が欲しいものを買うことができます。具体的な人間関係から切り離された自由な活動の可能性を手に入れたのです。本来、無数の人間の行為に依存しながら社会はでき上がっていますが、貨幣経済が浸透すると、その他者の存在に気を配る必要性はなくなるのです。

貨幣への依存度が小さかった時代の人と人との関係はどうだったでしょうか。たとえば、ヨーロッパの封建時代の領主と農奴の関係では、「今日はこの労働をしろ」と領主の命令があれば、農奴はそれに従っていました。三六五日、いつでも領主のAさんは領主であり、農奴のBさんは農奴であり、その固定された人間関係は、Aさん、Bさんという人格から切り離せません。

ところが歴史が下り、貨幣による取引が一般化すると、お金さえ払えば何でも買える自由が増えていきます。国家と個人の関係においても、税金さえ納めれば、何をして働いてもいいし、あるいは、働かなくてもとがめられません。

個人と個人の関係においても、お金さえ払えば、誰からでもモノやサービスを買うことができます。たとえばパン屋で私がパンを買う時に、その店主と人格的な関係を持つ必要はありません。パン屋はパンを売り、私はただ客としてパンを買う。店主との人間関係が良好でなければパンを買えないといった、属人的な関係から個人が解放されたわけです。

それまで重要だった社会関係のなかでの人格が、ほとんど意味をなさなくなり、貨幣経済の内部では、原理的には、人間的な関係性は意味のないものになっていきます。こうして売り手と買い手が匿名化していくことは、必ずしもネガティブなことばかりではなくて、ある種の「自由」をもたらしているとジンメルは主張します（この「自由」が那須さんの言う「自由」と異なるところは要注意です）。

ただ一方で、ジンメルの考えに従えば、貨幣経済が浸透するにつれ、「自治」を成立させる基盤は壊れていくようにも思えます。貨幣と商品の交換が人間関係をつくるといっても、せいぜいその関係性は支払いをしたかどうかという程度のものです。人間の人格的な要素にもとづいて結ばれる関係は、会計の外側に置かれます。その程度の薄い人間関係ばかりになっていけば、どうなるか。そんな社会では、みんなでともに問題に対処する「自治」など生まれてこないのではないか。私たちはそう想像するでしょう。

▼マルクスの商品交換論

このジンメルの話は、カール・マルクスの『資本論』第一巻に出てくる有名な議論とも相通じるものがあります。[*3] マルクスは、市場での商品交換がどういう人間関係をもたらしているかを詳細に分析しています。

貨幣で商品を手に入れる場面、つまり商品交換の場面では、「商品所有者」という極めて限定的な一面を取り出した経済的関係に人間関係が限定されます。そのような経済的関係性は、歴史的に見れば当初は共同体の外側にしか存在しなかった。けれども、この経済関係の担い手としての人間関係が、だんだんと共同体の親密な人間関係に対して優勢になっていった、とマルクスは言うのです。

仕事も、労働力という商品の売買です。働いている人は、自分の労働力を商品として売り、賃金を得ている。派遣労働の雇用形態が典型ですが、そうした労働の現場での人間関係は、短期的な仕事上のものに限られ、人間の人格の一部だけで関係を持つ表面的な付き合いになりがちです。

マルクスも、ジンメルと同じく、こうした商品交換は、ある種の「自由」にもとづいていると指摘しています。それは「二重の意味での自由」と言われるものです。[*4] マルクスは、資本制のもとでの労働市場の成立条件として、奴隷のように強制ではなく自由に契約できることと、生産手段を持たない自由（土地などの生産手段からの自由）という二重の自由が欠かせないと論じました。

ただし、ここでの「自由」は、自分の労働力をどこの誰に売るのかを選べる、という意味での「自由」です。かつて領主のもとで働く農奴が、ずっとその子や孫も農奴として生きていくしかなかったように、たとえば現代でも先祖代々の農地を受け継いでいる家庭では農業以外の職を選びづらくなる。この土地という生産手段から解放されると、人は自由に職業を選択できる。だから資本制のもとでは、誰もが（少なくとも表面的には）自分の自由な意志で生き方を選び取れるようになったわけです。ですが、そのことは労働力という商品以外に売るものがない、労働力という商品の所有者として生きざるをえなくなったことを意味します。

こうした商品所有者としての自由な個人は、近代の市民社会での「自治」の担い手でもあります。土地や共同体といった地縁・血縁から解放されて自立した個人が、利害関心にもとづいて労働組合や協同組合などのアソシエーションを結成する。それは、従来の「自治」のイメージにぴったりくるものだと思います。

ところが現代の日本では、こうした国家と個人のあいだにある「中間団体」と呼ばれる自治組織の存在感が薄れつつあります。那須さんの言葉にもあるように、日本では自分の意志や責任で何らかの自治組織に属することも、自ら考えて行動する自立した市民として行動することも、面倒で負担が重いこととして避けられているのかもしれません。

現在、日本列島に暮らす人の大半は都市生活者です。都市はそれ自体が巨大なマーケットだと言えます。無数の商業施設が立ち並び、バラバラの個人がそれぞれ好き勝手に経済活動という名の消費生活を送るのが、新自由主義的なマーケット依存社会の姿です。面倒な問題への対処は行政や専門家に任せて、自分だけが楽しく生きるために消費生活に専念する。マルクスも、労働力の売買という商品交換にもとづく社会では、誰もが自由で対等な存在として関係するようになる帰結として、売り手も買い手も「自分のこと」に関わるだけになってしまい、「他人のこと」に関心を持たなくなると述べています。[*5]

ますます巨大なマーケットに覆われつつある私たちの生活において、「税という対価を払って、後は専門家にお任せする」というお金と行政任せとは異なる「自治」は、はたしてどのように可能なのでしょうか。

▼古典的な文化人類学における「贈与」と「商品」

実はこうした市場化する社会の人間関係の見方について、文化人類学は、マルクスやジンメルなどの哲学や社会学の系譜とはやや違う見方を提示するようになっています。最近の文化人類学の知見に触れる前に、まず一九八〇年代以前の文化人類学の議論を紹介しておきましょう。

人が商品の売買をする時、つまり商品交換の場面では、商品を受け取り、お金の支払いが完了すれば、人間関係は終了します。その場限りの即時的で匿名な関係です。売買する相手とは知り合いである必要も、名前や出自を知っている必要もありません。

ところが、贈与交換の場面ではそうではありません。贈り物をわたすほうも、もらうほうも、基本的には親しい関係の人に限られます。匿名の見知らぬ人からプレゼントをもらったら、ちょっと気味が悪いと感じるはずです。これは贈り物のやり取りが、匿名的な商品交換と明確に区別されていることを示しています。

やり取りされる物に注目しても、贈与交換は商品交換と対照的です。贈与する物がたとえ商品であっても、値札を外し、ラッピングなどをして「商品らしさ」を消し去ります。金額が不明確になることで、もらった物に対してちゃんと対等な返礼ができているのか、お互いわからない状態になる。その曖昧な状態が、負い目を完全に抹消せずに関係を長期間にわたって継続させます。誕生日プレゼントをもらったら、相手の誕生日にプレゼントを返して終わり、とはなりにくい。贈り物の交換は一回では完了せず、毎年プレゼントを贈り合うことが期待されるようになるわけです。

商品をお金と交換する場合の短期的で匿名な関係性とは正反対に、贈与は長期的で人格にもとづいた人間関係を構築する。このジンメルやマルクスとも通じる議論が、文化人類学の一般的な見方でした。

▼商品交換と贈与は二分できない

しかし、一九八〇年代以降の文化人類学では、商品交換と贈与は、そんなに簡単に対比できないと論じるようになりました。

そこではマルクス主義的な「商品観」、つまり「商品を資本主義的な生産様式の典型とみなす」視点が批判されていきます。むしろ「商品」をそれ以外の「贈り物」と区別せずに、「モノのやり取り」を連続的にとらえる見方が主流になってきました。一九八六年にアルジュン・アパデュライというアメリカの人類学者が編者をつとめた『モノの社会生活』では、そういう視点が貫かれています。[*6]

生産物が商品となったのは歴史的な一方向への変化の結果ではなく、常に商品と贈り物は並存していた。こうした議論は、貨幣が生まれ、市場経済が生じ、それによってモノが商品になったとの見方を否定しているのです。いつどんな社会においても、モノは商品になったり、贈り物になったりしている。その連続性をとらえる必要があると考えられるようになりました。

従来の文化人類学は、「未開社会」の経済を贈与にもとづくものとして描いてきました。それは近代の「貨幣経済」や「市場経済」の対極にある、と。この「贈与経済的な未開社会」と「貨幣経済的な近代の市場社会」を対比的に考える見方が批判されたわけです。贈与も、広い意味での商品循環の一形態にすぎない。この視点は、それまでの贈与中心の人類学に対して発想の転換を迫るものでした。

同じ論集にイゴール・コピトフが寄せた論考でも、モノの意味や価値は変遷すると論じられています。商品交換と贈与交換は分離されず、連続線上にある。やり取りの連鎖のなかで、モノの意味や価値が変化していく。モノは「いつでも交換できる商品」と「交換不可能なかけがえのないもの」という二極のあいだで、さまざまな履歴をたどるというのです。

それは、実生活を考えればすぐにわかるでしょう。どこにでも売っている、とるに足らない商品でも、自分の愛する人が使っていた遺品であれば、故人を偲《しの》ぶ大切な形見になります。そうした人格性を帯びた唯一無二の価値が商品にも生じるのです。さらに、そういう唯一無二の価値が再び金額に変換され、商品化することもあります。たとえば、有名人が使っていたありふれた眼鏡が驚くような高値で取引されることも起こる。つまり、贈り物と商品との境界は固定してないのです。

こうした現実に目を向けると、「貨幣」や「商品交換」に根ざす関係と、「共同体的」「贈与的」な関係は断絶しているわけではありません。商品によって結ばれる人間関係は、はたして共同体的な関係と本当に違うのか。むしろグラデーション的に、時には並存するようなものではないのか。そう、とらえ直すことができます。

この問題提起は、貨幣を介した商品取引という非人格的な関係にもとづく資本主義的な社会が、均質的で固定した不可逆のものではない可能性を示唆しているのです。

▼商品交換の場である「店」の現実

商品によって結ばれる即時的な人間関係と、贈与的で共同体的な関係は並存しうる。そう考えたほうが、私たちの経験上の実感とも近いと思います。わかりやすいのは、実際の商品交換の現場である「店」です。

まずは、私が身近に見聞きした出来事から話しましょう。私の住む岡山市内に、女性店主がひとりで経営する小さな本屋さんがあります。ある時、店主が体調を崩して、ＳＮＳで休業のおわびを投稿しました。すると、常連の女性たちが食べものの差し入れをしたり、郵便物を代わりに投函してくれたり、店の玄関口を掃除したりと、みんな誰に言われるでもなく、そうした手助けを買って出たのです。

ジンメルやマルクスのような貨幣経済の読み解き方にもとづけば、常連客とはいえ、本屋での人間関係は、単に店と客の商品交換の関係でしかないはずです。書店は本を売る商品所有者であり、客は貨幣の所有者です。そこでは経済的取引が行われているだけで、本と金銭の交換が済めば、関係は即時に終了する。それが、貨幣にもとづく商品交換論が想定していた事態でした。

ところが、その本の売買という商品交換の場であっても、ある種の人間関係がつちかわれている。ジンメルやマルクスが理論として想定した事態とは違うことが現実には起きているのです。もちろん、それはかつての地縁や血縁にもとづく共同体のような長期的な関係性ではありません。日頃は常に顔を合わせているわけでもない店主と常連客たちが、何かトラブルがあった時にさっと結びついて、ともに問題に対処しようとしたわけです。

▼居場所としての「店」

この書店での助け合いは、小さな「自治」の芽であると私は考えます。そして、この書店での出来事は、特殊な事例ではありません。人と人との「つながり」をつくり出し、「自治」の芽を育む可能性を「店」が持っていることを、私は大学で指導している、たくさんの学生たちの調査から教えられてきました。

たとえば、四〇代の店主Uさんがひとりで切り盛りしている岡山市内の古着屋をフィールドワークした学生がいます。その店に一九歳の若者ふたり組が客として初めてやってきた時の様子を、その学生は次のように描いています。若者のひとりは、間もなく気になっている女性とデートをするというタイミングでした。

店の奥にあるレジ横で常連さんと話していたUさんが、おもむろに動き出す。二人に近づくと、「どこから来たん?」と話しかけた。(中略)二〇分ほど話し込んでいただろうか。気づけば彼らは、店主のことをUさんと呼び、まるで以前から古着屋へ通っていたかのように親しげに笑い合っていた。(中略)彼(若者の一人)が一週間後に気になる相手とのデートを控えていることを踏まえ、Uさんは「この服で待ち合わせに現れたら、すげえイケてるよ!絶対上手《うま》くいくよ!」などと言って、未来への期待を煽《あお》っていた。(中略)それから二週間ほど経ったある日の昼下がり、彼が再び古着屋の戸を開ける。店に入るやいなや、「ありがとうございます!彼女ができました!」と、満面の笑みで彼は言った。[*7]

この場面には、初対面の客と店主とのあいだに顔と名前が一致する持続的な関係が生まれていく状況がとらえられています。この古着屋は、さらに長い関係を育む、ある種の「居場所」にもなっていました。店には「リメイク部」があって、高校時代から常連客だったふたりが運営しています。この元常連客は、東京でのアパレル関係の仕事を辞めて岡山に戻った際に、店主から「古着のリメイクをやってみないか」と提案され、客から仕事仲間になりました。そのリメイク部のスタッフは、この古着屋について、こう語っています。

> 小学校の時にあったような、こいつん家《ち》にやたら人が集まるみたいな、そんな感じの場所。刺激を求めているわけでもないけど、つかず離れずの自分にとっての居場所みたいなものが必ずそこにあって、なくならないだろうここはみたいな、何か変な安心感がある存在だなあ。[*8]

古着屋には、すぐ脇の路地に商店街の喫煙所があり、学校でいえば保健室のように、ほかでは言いづらい話をする場所にもなっています。調査した学生は、この喫煙所をめぐって、こんな光景を描写しています。

> ある日、恋愛に悩む20代の女性常連客がやってきた。彼女は、この世の終わりみたいな暗い顔で入店し、ほかの常連たちが話しかけてもずっと上の空だった。悲痛な様子を見かねた彼らは、接客を終えたUさんのもとへ行き、彼女を連れて喫煙所へ行くよう促す。そして二人は、店横の細い路地につくられた喫煙所へ移動した。（中略）この出来事で興味深いのは、常連がほかの常連を気遣い、いともたやすく立ち振る舞った点である。彼らはアイコンタクトのみで、女性が喫煙所に行く必要性があることを確認し合った。そして、

Uさんと彼女が店を出た後、まるで店員のようにレジを守り、はずれてしまっているボタンをかけなおす。もしもその間に新規のお客さんが来れば、喫煙所へUさんを呼びに行く。この一連の流れはとてもスムーズで、焦りやもたつきは感じられない。しかも面白いことに、メンバーが変わってもこれはおこなわれるのである。[*9]

この記述からも読み取れるように、Uさんの古着屋に来るのは、服を買うためだけではありません。むしろ店主や常連たちが待っていてくれる場所に若者たちが集まって来るのです。店主は客の七割の名前と顔が一致するといいますし、お客さん同士のつながりもあります。こうした顔の見える関係では、店をまわしていくために、自分のできることを自分たちでやっていく、ささやかな「自治」の実践が自然となされているのです。

学生たちの報告は、この古着屋の事例だけにとどまりません。単なる商品交換を超えた店で育まれる人間関係の報告は数多くあります。地元に根づいた商店街の楽器店が、吹奏楽部の生徒たちにとって楽器選びや演奏の上達のことだけでなく、進路や就職といった人生相談の場にもなっている。古本屋で定期的に飲み会や交流会が開かれていて、年齢や性別を超えたあらたなつながりが生まれている。そんな「店」の可能性が垣間見える数々の調査から、私も学んできました。

▼市場原理と贈与交換のブリコラージュ

こうした「店」での出来事を人類学者の生井《なまい》達也さんは「市場原理と贈与交換のブリコラージュ」と表現しています。

ブリコラージュ（bricolage）とは、そこにある手持ちの材料を寄せ集めてものをつくったり、工夫して修繕したりすることです。あらかじめ目的を持って設計通りに制作するのではなく、本来の用途とは違うものをうまく利用して創意工夫していくことであり、そのための道具をつくり出すことでもあります。まず法をつくり、そのルールに沿って秩序をつくり出そうとするやり方とは対極にあると言えるかもしれません。

この「市場原理と贈与交換のブリコラージュ」によって、市場原理の経済と贈与交換が組み合わさり、法統治モデルとは異なる形で、即時的に終わるだけではない人間関係や自生的な秩序が開かれていくのです。

生井さんの著作『ライブハウスの人類学』では、店長と常連客との興味深い共同性が描き出されています。[*10] ほとんどのライブハウスの常連客は、出演者でもあり客でもあります。その関係性のなかで、常連客は店にお金を落とすために、あえてドリンクを多く頼んだり、パーティを開いたり、あるいは逆に店主が常連たちに酒を振る舞ったりします。

お金を稼ぐ商店やライブハウスで、市場原理的な商品交換と組み合わさった、お金を介した贈与交換のような行為が実践されている。それによって商売も成り立っている。純粋な贈与交換ばかりでは、当然、店は維持できません。むしろお金を介した売買があるからこそ商売を長く成り立たせることが可能になり、そのことで長期的な人格的関係も育まれているわけです。

店を拠点として展開される「利害からはみ出して生まれる共同性」は、目をこらせば、町のなかでいくらでも見つけることができるはずです。読者のなかにも、そうした店の実例を知っている、あるいは自分もそんな「居場所」的な行きつけの店があるという方がいるかもしれません。小さな町にも大都会の片隅にも、無数にそんな店がある。それは、血縁でも地縁でも、利害関心を同じくする人が組織をつくるアソシエーションでもありません。

この店を拠点とする「市場《いちば》の共同性」は、それぞれが自分の嗜好《しこう》に合わせて好きな場所を選び、そこで消費者の枠を超えた人間関係を築くことで生まれるものです。[*11]店を結節点とした、ゆるやかなネットワークと言ってもいいかもしれません。そうした場所が、ある局面でそこに関わる人々が抱える問題にともに対処する足場になりうるのです。

店という場は、基本的に誰もが立ち寄ることができ、行かない選択もできるオープンスペースです。いわば「町の広場」のような開かれた公共性を持っています。一七～一八世紀のヨーロッパでコーヒーハウスが果たした「民主的な営み」が生まれる空間ともつながっています。ただし、これまで見てきたような店は、市民が情報交換や政治談議をするコーヒーハウスのように、必ずしもハイソサエティのサロン的なものではないし、政治意識の高い人の集まりでもありません。むしろライブハウスや古着屋のように、時にアンダーグラウンド的、サブカルチャー的な場ですらあります。

商品をやり取りする店は、町内会や労働組合といった、私たちが「自治」と聞いて思い浮かべるアソシエーション的な中間団体とは、まるで違う場所です。そこには経済活動があるだけで、「政治」とか「自治」とは無関係だという印象を持たれるかもしれません。

ところが実際には、私たちの生活における人と人とのつながりの多くは市場のなかで生じています。そもそも仕事や消費生活といった経済活動とは関係ない、政治的な組織とは関わりすら持っていない人のほうが多いでしょう。この中間団体がやせ細った状況で、どのように市民がともに社会的な問題に対処していくかが問われているのが今の時代です。これも、新自由主義的な流れの帰結だと言えます。

そのなかで店という存在は、古着屋もライブハウスも、かつて子どもたちがたむろしていた駄菓子屋も、それぞれの興味関心に応じて人々が集まれる、貴重な結節点のような場になっています。

その役割は、経済指標などには反映されません。むしろ大規模な店舗のほうが効率的で売上も大きく、多くの雇用や利益を生むとして評価される時代です。でも学生の調査事例からは、こうした小さな店で行われているささやかな無数の営みこそが、社会の底が抜けるのを防いでいるのではないかと思わされます。

▼ボードリヤールからグレーバーへ

ところで、かつてジャン・ボードリヤールが『消費社会の神話と構造』（一九七〇年）で、「あらゆるものが消費社会に置き換わっていく」と述べたことがあります。[*12] 確かにその傾向は強まっていると思います。たとえば五〇年前の日本では、ペットボトルに入った水が商品として売られる状況は想像もできなかったでしょう。新幹線には無料で飲める飲料水のサーバーがありました。しかし水は、今では自動販売機や車内販売で買う商品となりました。

ただし、ボードリヤールの本が刊行されて五〇年以上経っても、そこで描かれた「消費社会」が完成したとはいえません。つまり、常にあらゆるものを消費社会に巻き込む動きと同時に、それにおさまらない別の動きが湧き起こり、生まれ続けていると考えられます。もしかしたら、理念的な西洋近代の「産業消費社会」のロジックだけで世界が埋めつくされていくというイメージそのものが「神話」だったといえるのかもしれません。

そういうことを考えていた文化人類学者がいます。二〇二〇年に急逝したデヴィッド・グレーバーです。資本主義のようなシステムが、世界のすべてを置き換えてしまうことはないはずだ、と彼は主張しました。

グレーバーは『アナーキスト人類学のための断章』という本のなかで、国家や資本主義が社会全体を覆いつくすことはないと述べています。[*13] つまり消費社会になっても、常にそのシステムに包摂されない「すきま」が生まれているのです。

これまで紹介した店は、まさにその「すきま」のような場所かもしれません。社会全体が新自由主義的な市場経済のロジックに包摂されるわけではなく、常にまだらに複数のロジックが並存している。この議論は、贈与経済から市場経済へ、未開社会から近代社会へと世界が転換したという見方を批判してきた、現代の人類学にとっても重要な視点です。

社会思想や哲学的な考察は、ロジックの一貫性を追求しがちです。商品交換というモデルを考えると、「商品をやり取りする人は、常に商品所有者として対峙《たいじ》する」「貨幣を介する人間関係では、人格的な関わりを持つ必要はない」となってしまう。こうした言説は、モデルとしては非常にすっきりとした説明ですが、現実との乖離がある。実際には、その「すきま」に人格的な関係を育む商品交換の場も生まれています。

▼「自治」の固定概念をひっくり返す

ここまで市場経済にもとづく消費社会でも、商品所有者が完全に非人格的な存在になるわけではないと述べてきました。店というすきま的な場では、利潤だけを追求する資本主義のロジックとは異なる、小さな共同性が芽生えているのです。ただ、こうしたささやかな営みが「自治」と言えるのか、という疑問も出てくると思います。

「自治」を英語で言えば、「autonomy」で、その語源にさかのぼると、「自分自身」(autos)と「法」(nomos)、すなわち、「自分自身に法を与えるもの」という意味になります。この語源通りであれば、「自治」とは、法による秩序形成、法による統治を自ら行うことを指します。

現代を生きる私たちにとって、法を与えるのは国家です。すると「自治」のイメージも、国家の小規模モデルにすぎない「地方自治」になってしまいます。しかし、本当に「法を立てて、逸脱者を抑制したり排除したりする」ことだけが「自治」の方法なのか、と問いたいと思います。

店で発生している共同性とは、多様なバックグラウンドを持ち、それぞれバラバラな生き方をしている個人が、自らの選択や他者との出会いを通して、社会のなかに見つけた「共通の居場所」を維持する営みだと考えられます。

商品交換の一瞬で終わる関係よりは長いかもしれませんが、とはいえ、かつての共同体のように永続的なものではなく、一時的なものでしかない。ある人にとって居場所であっても、別の人にとっては居場所ではない、極めて属人的なものでもあります。そこには、統治のための厳格な法や罰則は必ずしも必要ありません。足を運びたいと思う人だけが関われればよいという、開かれた自由な関係が保たれる空間なのです。

個人経営の店には、選挙も、代表制もありません。つまり政治らしい政治はない。合意形成のベースにあるのは、お金や商品のやり取りという経済関係です。岡山の古着屋さんも、NPOとして若者たちを支援しているわけではなく、古着を売って稼ぐ商売をしています。

店を足がかりに発生する小さな共同性は、そのようなゆらぎのなかにありつつも、法を立てて秩序をつくる発想とは、ある意味で対照的です。逸脱者を特定する線引きを行い、はみ出し者を排除するのではなく、逸脱者が生まれる手前で手を差し伸べ合ったり、学び合ったりする場になっている。その営みは、「自治」という概念自体を再考するよう、私たちに促しているように思います。

▼生き延びるための「すきま」

ここでもう一度、あの古着屋の事例に戻りましょう。K君という不登校の高校生は、ある時偶然、この古着屋に立ち寄り、店主Uさんが醸し出すあたたかい雰囲気に魅了され、毎日のように店に顔を出すようになりました。

不登校の彼にとってこの店は、家族以外の人と触れ合うことができる貴重な場所だった。Uさんもほかの常連も、彼が学校をサボってお店に来ていることを咎《とが》めたりはしない。「お〜、K！　昨日ぶりやな！」と、いつでも明るく受け入れてくれたのである。[*14]

店に顔を出すうちに、やがてK君は家族にもこの古着屋のことを笑顔で話すようになり、母親が店にお礼を述べにやってきました。「ほんとにもうこのお店のおかげで」「ありがとうございます」と涙ながらに繰り返すK君の母親の言葉を聞いた時、Uさんは「古着屋でも学校の先生みたいなことができる」と感じたと言います。[*15]もともとUさんは学校の先生になりたかったそうです。でもおそらく実際に彼が学校の先生だったら、若者に頼られる今のような役割を果たせなかったかもしれません。

Uさんは、こう言います。「むしろ、何のルールもしがらみもない古着屋だからこそ、学校では教えてくれないようなことで悩んでいる子に対して、自分なりの意見を伝えて解決することができるのではないか」。その言葉は、店という場所が持つ可能性の一端を示していると思います。

この古着屋を訪れる常連客の半数が、ひとり親家庭の子どもだそうです。そんな若者たちが、

Uさんの存在を「家族みたいだ」と言って頼ってくる。そうした若者のなかから、「リメイク部」のように、Uさんとともに店の商売を支える人も出てくる。経済的にも家庭環境的にも恵まれない若者たちが店に集い、互いを支え合う関係が築かれているのです。

こうした事例から見えてくるのは、学校や行政というシステムからこぼれ落ちる部分を補い合う人々の小さな営みが町には無数にあるのではないか、ということです。このシステムの「すきま」に生まれている「自治」こそが大切だと思うのです。

自治体などの行政が、この店のような役割を果たそうとしても困難です。服やファッションに興味のある子にとって、学校の先生には話せなくても、古着屋のおしゃれな店主は、話を聞いてもらいたいと思える存在です。それは親でもスクールカウンセラーでも駄目で、ましてや行政の窓口がその役を担うことはできません。公的ではない私的な場所であるがゆえに、逆に公共的な役割を担えるのです。店という空間は、本当に小さくてとるに足らない場所に見えます。でも、そこにしかない可能性があるのです。

その営みは、国家の法による統治モデルの縮小版ではありません。貨幣によってすべての人間関係が商品交換に組み込まれるという、ジンメルやマルクスの想定とも異なります。貨幣とともに商品のやり取りをしながらも、なぜか商品交換のロジックだけではない人間的な関係が生まれ、ともに手を差し伸べ合う自律性が生まれている。そうした自律性を、一種の「自治」としてとらえ直すことができると思います。

ている、と。

▼バラバラで小さい店の自由で柔軟な「自治」

最後に、あらためて冒頭の言葉に戻りましょう。那須さんは「自由が人びとから歓迎されなくなってきた」と述べていました。誰も自分の意志によって自ら選んで決めようとしなくなっている、と。

でも、ここまで紹介してきた店に集っている人たちは、人任せにしていたでしょうか。自分が好きだから店に集まり、わざわざその店で商品を買い、そこで起きた問題（店主の体調不良、客の悩みごと、店の経営を助ける……）に自発的に対処していました。そこには、何かを強制する仕組みも、わずらわしい義務も見当たりません。店に行きたくなければ、行かない自由がある。そこには、人任せにしてもいいと思える大きな社会のなかに、人任せにはしたくない小さな自治的な公共性が生まれているように思います。

個人商店のような店が、大型店舗やネット販売の影響で減少しているのも事実です。たとえば全国の書店の数は、過去二〇年あまりで半減したといわれています。その一方で、近年、各地に小さくて個性的な書店があらたに開店するケースも増えています。そうした店には、大型店舗やインターネット販売では満たされない人たちがわざわざ足を運んでいます。おそらく、そうした小さな場は、常に生まれ、求められ、完全に消滅することはないでしょう。

それでも、いくつかの小さな店の事例だけでは、それが自治的な場所だと言われても、説得力がないと思われるかもしれません。でも私は、むしろ小さいからこそ大きな可能性があると思っています。大きな自治的な組織をつくって、それを拡大していくことは、個人にはとてもできることではありません。でも店を開くことなら、誰にでもやろうと思えばできないことではない。少なくとも、そんな店を客として応援したり、支えたりすることはできる。

それに小さいからこそ、それぞれが多様な人々の嗜好に合わせた場所になることができます。ライブハウス、古着屋、本屋、どれも通ってくるお客さんは違っているでしょう。でもその違いに意味がある。小さくてバラバラな店が町に無数にあるからこそ、システムからこぼれ落ちる、いろんな差異にあふれた人たちの問題に関与しうるのです。

▼独立自営業という希望

政治学者のジェームズ・スコットは、『実践 日々のアナキズム』において、現代の生活のほとんどが、家族、学校、工場、会社などの制度に覆われるなかで、個人の自立性や主導力が日常的に破壊されていると指摘しています。[*16] その対極にあるとスコットが考えているのが、自立し、自尊心に富む土地持ちの小農や小企業の経営者など、独立自営業者でした。アメリカの民主主義の基礎をつくったトマス・ジェファーソンも、こうした自立した農民こそが自分の考えを恐れや追従なしに自由に語れるのであり、活発で独立した公的領域の基礎をつくり出す、と考えていました。

ところがこうした小規模な財産所有者は、マルクス主義の伝統では「プチ・ブルジョワジー」として軽蔑の対象でした。なぜなら、彼らは潜在的な小資本家であり、労働者階級であるプロレタリアートだけが資本制によって生み出されたあらたな階級として、革命の担い手にふさわしかったからです。それに対しスコットは、独立自営業者は、プロレタリアートとは異なり、「他人から指図されることなく、自らが働く日やその内容をコントロールしている」と述べて、「そのことが生み出す自由と自尊心の感覚への欲望は、ひどく過小評価されてはいるが、世界中の人びとにとっての社会的希求そのものなのだ」と指摘しています[*17]。

スコットは、こう結んでいます。「小規模自作農と小店主が幅をきかせている社会は、今までに考案された他のいかなる経済システムよりも、平等性と生産手段の大衆所有制にいちばん近づいているのだ[*18]」。私が店に魅かれる理由も、このあたりにありそうです。

那須さんが指摘するように、私たちから自由への希求が失われつつあるとしたら、それは大きな組織に従属させる制度が生活のすみずみまで浸透し、独立自営の「自由」の感覚が現実味をもって実感できなくなったせいかもしれません。

▼あらたな政治／自治への想像力を持つこと

資本主義とか、市場の新自由主義のイデオロギーとか言われると、私たちはひとりでそれにどう立ち向かっていけばよいかわからず、途方に暮れると思います。個人がひとりで資本主義を倒したり、組織的な政治運動を始めたりするなんて、とても自分にはできそうにない。難しくてよくわからない問題に関わるのは面倒なので、人任せにする。その態度の裏には、そんな絶望感が関係しているようにも思います。

でもグレーバーが言うように、社会全体がひとつのシステムに覆われつくすことがないならば、すでにその巨大なシステムとは別の動きや働きをしている「すきま」のような小さな場所に目を向けることが、システムそのものに対抗する最初の一歩になりうるのだと思います。

資本主義のただなかにありながらも、孤島のように、資本の論理とはまったく違う形で営まれている店から「自治」を考えてみる。それは、そもそも政治とは、国会や国連総会などの大きな組織的な場でのみ起きていることではない、と発想の転換をすることでもあります。

誰もが何らかの問題を抱えていて、手助けを必要としている。その問題にともに対処したり、どうしたらよいか一緒に考えたりすることも、立派な「政治」であり「自治」なのだと思います。この社会をよりよくするために、一人ひとりにできることがある。政治を自分たちの暮らしに引きつけて自分ごととして考えられる。その希望を持つには、「政治」や「自治」そのもののイメージの刷新が必要なのだと思います。

失恋して苦しむ人に、さりげなく配慮する。不登校の子が安心して通ってきて気楽に話ができる場所をつくる。店という場で生まれる「市場《いちば》の共同性」には、ある種の「ケアの共同性」があるとも言えます。そこで自発的に起きているケアの営みはとても小さく、外から見えにくいので、ほとんど社会的に評価されることはありません。でも、その共同性は、店に集まる人にとって、切実な命綱のようなかけがえのなさを持っているはずです。

店で生まれる自律的でありながらも、他者に配慮する関係性。それは地域や組織や自然資源といった、すでにある「コモン」を維持管理するための「自治」ではありません。町のなかの小さな場所を自分たちの守るべき「コモン」だと思える人たちが集うことで生まれる「自治」

です。当然、すべての店がそうなるわけではない。でもだからこそ、そこには、顔の見えない無数の人々が集まる大きな社会を法で縛るという国家モデルとは異なる「政治」があります。いわば「上からの統治」と対極にある、「こぼれ落ちないように支え合う力」。そこがまさに「自治」の現場であると意識することから、この社会をよい方向に変えていくために必要なこと、自分にできることが見えてくるのではないかと思います。

コラム❶——「自治」の現場から

「京都三条ラジオカフェ」がつなぐ縁

藤原辰史

　京都の市民が奮闘して続けているコミュニティ・ラジオがある。上京区、中京区、下京区を中心とする地域限定のラジオ局である。エリア内の人口は約一〇〇万人、約四四万世帯。「京都三条ラジオカフェ」という愛称で親しまれ、二〇二三年についに開局二〇周年を迎えた。ラジオは、テレビでは拾いにくい声を拾い上げるメディアであり、人と人が出会う貴重な媒体である。コミュニティ・ラジオとなれば、ますますその役割は大きい。その地域に住む人びとの「自治」の礎のひとつ、と言ってよいだろう。

　その「京都三条ラジオカフェ」から開局二〇周年の記念のシンポジウムに出てほしいという依頼をいただいた。自分が暮らす街のラジオ局のお祝いの場に呼ばれること自体まず光栄なのだが、企画書を見てさらに気持ちが高まった。そこには「京都三条ラジオカフェ」開局二〇周年シンポジウム「縁食《えんしょく》と音で出会う」／交流会「百人縁食」とあったからである。放送局は、一度目の打ち合わせのとき、拙著『縁食論――孤食と共食のあいだ』の話題になったことから、このタイトルにしたという。[*1] 交流会は、音楽を聴きながら、大勢で一緒にカレーを食べ、語り尽くそうという趣向だ。

「縁食」とは家族や宗教共同体のように緊密な食事ではなく、かといって望まぬ一人ぼっちでの食事でもない、そのあいだにある「子ども食堂」のような緩やかな食を通じた集まりのことである。食は不思議なもので、共に食事をすることで、初対面の人との関係も「縁」として深まっていく。

もちろん、この記念の会は、拙著の書名をなぞっただけ、というものではない。むしろ、この放送局は『縁食論』より先に「縁食」を体現してきた。雰囲気のいいカフェを運営し、スタジオの中と外の「縁」をつなぐ役割を担わせていたのである。番組が始終流れるこのカフェを私も何度か利用したことがある。残念ながら二〇一七年に閉店したが、スタジオだけでなく、カフェも市民の情報交換の場であった。つまり文字通り、「ラジオカフェ」だったのだ。

そういう経緯からすると、イベントの会場に、同じ「縁食」のスピリットを共有する「コミュニティキッチンDAIDOKORO」が選ばれていたのも当然だったと言うべきだろう。当日の会場は、大勢の人の熱気に満ちていた。京都の各所で活躍する福祉事業者、起業家、研究者、学生、フリーペーパー制作の関係者など、京都を盛り上げたり、人と人とをつなげたり、人をケアしたりすることに情熱を捧げる人びとであふれ返っていた。

私が前半のシンポジウムと後半のトークセッションでの務めを終えると、二番目のトークセッションと並行して交流会「百人縁食」の準備が始まり、二〇を超える種類のカレーが並べられた。その創意工夫に満ちたカレーに舌鼓を打ちながら、さまざまな人たちが顔合わせをして、お互いの試みや事業について聞き合った。

その中で、よく知っている若い顔もあった。私の講義に出ている学生で、パレスチナの問題を中心に考える学生の団体「SHIRORU（しろる）」の創立者である。彼女もカレーを食べつつ、年上の大人たちと話しこんでいた。後日聞いたところによると、その中のひとりと新たにコラボレーションを進めるらしい。

こうした「縁」を今回のイベントだけでなく、二〇年間紡いできた「京都三条ラジオカフェ」はどのように誕生したのだろうか。限られた地域のみに電波が届く二〇ワット以下の小出力の放送局は「コミュニティFM放送」と呼ばれ、現在、全国各地に三〇〇局以上あるが、「京都三条ラジオカフェ」はNPO法人が運営する日本初の放送局なのである。二〇〇一年に「市民による市民のための放送局」をめざして市民がお金を出し合い、その二年後にFM放送を開始した。

と書くと、すんなりと決まったように思えるが、そうではない。一九七〇年代から「自由ラジオ」の運動を展開し、市民の手による下からの放送を目指してきた欧米と異なり、日本では株式会社以外の組織が放送免許を取得するのは困難極まりなかったのだ。

交流会の中でも設立時の関係者たちが口々に言っていたのは、放送事業を管轄する当時の省庁との厳しいやりとりであった。当初は、官僚たちが地域の小さな組織の意義を理解してくれなかった、と言う。粘り強い交渉の末にようやく、NPO法人として初めて放送免許を勝ち取った。

ラジオとテレビの放送に必要な電波は、本来は公共のものである。本書の文脈で言えば「コモン」であり、一九五〇年に制定された放送法でも、放送事業に従事できる団体は、日本放送協会（NHK）と株式会社に限定されていたわけではない。ただ暗黙のうちに、公共の放送はNHKが担い、営利目的は株式会社が担うというルールができていた。京都三条ラジオカフェは、まさにその突破口を開いた先駆者の放送局の一つである。

「京都三条ラジオカフェ」の魅力は何よりも市民がラジオ番組を持つことができる、という点にある。放送利用料（税抜き）は、三分の番組で一五〇〇円、三〇分で一万五〇〇〇円、六〇分で三万円。これは、発足当初から変わらない値段設定である。

番組については、適正な放送がなされるように番組審議会を開き、定期的に審議されている。現在の日本の報道が陥っている忖度《そんたく》の構造を打破するような自由な番組がめじろ押しで、とても興味深い。

私は、二〇一五年に「自由と平和のための京大有志の会」の一員として、安保法制反対運動に関わっていたとき、「京都けんぽうラジオ」という番組に出演したことがある。このラジオ局に初めて出演する機会だったが、打ち合わせも短く、手軽に番組に参加できることに驚いた。

さらに、二〇二二年には、「いち・に・の三条ラジオカフェ」という番組で、放送局長の藤本香さんとお話しさせていただいた。依頼はメールで、打ち合わせは当日。本番では打ち合わせの内容に限らず、いろいろなテーマについて自由に話すことができた。ある意味、カフェのような気楽さだ。しかし、整った機材に囲まれる中、話はじっくりさせてくれる。私が留保を取るべきところは留保しつつ、考えながら話すことを許容してくれるこの場所は、大手メディアの放送ではあまりない。私にはとても心地よいものだった。

もちろん、私が出演した番組はほんの一部にすぎない。内容は多彩だ。たとえば、京都の老舗書店、大垣書店のスタッフたちが独自のアングルで書籍を紹介する「本のソムリエ」は長く人気を博している。

開局以来続く番組のひとつに、京都のＮＰＯ法人を紹介するものもある。「行列のできる訪問介護ステーション」という番組も人々に愛聴されている。

開局記念のシンポジウムでは、これらの番組に関わるＮＰＯ法人きょうとＮＰＯセンターの内田香奈さんと、訪問介護を請け負う株式会社アドナースの代表の鎌田智広さんの話を聞いた。お二人の話から、大手メディアでは取り上げられないけれども、地域にとっては有用で、かつエンターテインメント性を兼ねた情報や内容がリスナーから求められていることを強く感じた。

とはいえ、地域の話題だけに閉ざしているわけではない。「難民問題を天気予報のように」というコンセプトで「難民ナウ」という番組も毎週、六分間放送されている。二〇〇四年から続く長寿番組だ。さまざまな領域で難民問題に関わる人々にインタビューを行なうもので、クオリティが高い。日本初の難民専門番組である。

そして、このラジオを通じてさまざまな異分野の事業の担い手が出会い、語らうことができるのも魅力的である。ＮＰＯ法人の悩み、訪問介護の実際、難民問題、どれもが重要でありながら、大手企業が定期的に放送するのは難しいものだろう。

もちろん、課題も多い。初期の設立時に関わっていた人々から、関わっていなかった若い人々に世代交代が進むことで、たとえば、草創期の人々の意図が必ずしも伝承されていないように思う、という話も交流会で聞いた。ただし、若い世代が登場したことで、これまでにはないニュータイプの番組ができていることも確かであり、私の大学時代の同級生で設立当初から関わってきた松浦哲郎さんは、むしろ若い人たちの感性を大事にしたいと言っていた。

また、インターネットの普及で誰でも簡単に「ラジオ的なもの」を、しかも全世界に発信できるようになったがゆえに、コミュニティ・ラジオとしての意義が再度問われていることも指摘されていた。わざわざお金を払って番組を作るよりも、動画サイトでの発信は経済的で手軽だ。実際に「京都三条ラジオカフェ」で建築に関わる番組を持っていたけれど、自分の属する企業の都合で、インターネット・ラジオに移行した方とも交流会でお話をした。

ただし、「ラジオ局の番組の取材です」と先方に伝えることで、滅多に会えない方を取材できるというメリットを語ったのも、その方だった。きちんと整った機材を用いて審議会でのチェックも意識しながら発信するラジオ局のいわば「公益性」が、信頼性を担保し、地域の人々の試みをつなげやすくしているのも事実である。

本来は、万人の共有物である電波は、「自治」の活性化にとって不可欠の情報媒体である。これを多くの人々の地域活動のために利用してもらうという「京都三条ラジオカフェ」の試みは、情報媒体がパーソナライズ化される中、私にはかえってその意義が今後高まっていくのではないかという感触を得た。

第三章

〈コモン〉と〈ケア〉のミュニシパリズムへ

岸本聡子

岸本聡子
（公共政策研究者／杉並区長）
一九七四年、東京都生まれ。二〇〇〇年代で渡欧し、政策シンクタンク「トランスナショナル研究所」に所属。公共政策のリサーチおよび世界の市民運動と自治体をつなぐコーディネイトに従事。二〇二二年、杉並区長選挙に立候補し、初の女性区長となる。主な著作に『水道、再び公営化！』（集英社新書）、『私がつかんだコモンと民主主義』（晶文社）など。

▼「自治」とは暮らしの未来を考える行為

この本の母体となった「自治研究会」が立ち上がった二〇二二年の春、私はまだオランダを本拠地とする政策NGOの研究スタッフとして働いていました。公共サービスを中心とする政策研究を行い、同時に市民運動と自治体の人々を結びつけ、ネットワーク化していく毎日。なかでも民営化されてしまった水道事業を再び公営に戻す市民運動に深く関わっていました。

ところが三月に長期休暇を取って日本に帰国した際、私の状況は一変します。市民運動のプラットフォーム「住民思いの杉並区長をつくる会」から「三カ月後の区長選挙に立候補してほしい」という打診があったのです。

突然の出馬要請を引き受ける決心がついたのは、地方自治こそが民主主義を再起動させる最重要のカギであると長らく考えていたからでした。それは、欧州の市民運動と地方自治体のネットワークのなかに身を置いて強く感じていたことです。

そして最も心を動かされたのは、数年も前から政策集を準備していたという市民の「自治」の実践でした。「住民思いの杉並区長をつくる会」は、当時の区長のもとで決まっていた児童館の廃止や道路拡幅計画などに不満や怒りを抱く人たちやグループが集まってできたゆるやかな連合体です。彼ら、彼女らが「こういう杉並区にしたい」という具体的な政策集を練り上げていたのです。自分たちで問題を発見・共有し、政策までまとめたうえで、それに賛同してくれる候補者を探していたという経緯。まさにあるべき「自治」の姿を杉並区の人たちが実践していることが、無謀とも言える立候補へと背中を押してくれたわけです。「自治」とは、暮らしの未来を自分たちの手で考える行為です。すでにそれは、多くの人たちが理解していることだと思います。

実際、街頭演説で「これは私の選挙じゃないんです。私たちの、そしてあなたの選挙なんです」と訴えると、それまで素通りだった聴衆が足を止め、耳を傾けてくれるようになりました。「杉並の街のことは、杉並で暮らす皆さんが一番の専門家なのだから、あなたの声をもっと聞かせてほしい」と問いかけると、通りがかりの人たちが話しかけてくれるようになりました。多くの人が対話を求めていることを知り、選挙戦の終盤では私のほうが地べたに座り、マイクを持つ有権者たちのアピールをじっくり聴かせてもらうというスタイルも定着していきました。

このような対話こそが民主主義のベースであり、「自治」の始まりだ。カリスマ的な候補者が持論だけで選挙を戦うのではなく、区民とともに政策まで考えて選挙を戦う。こうした形が、本来の地方自治だということに多くの区民が共感してくれた。それが、一八七票差で現職区長を破るという奇跡のような選挙結果として実を結んだのでした。

▼国政ではなく地方自治から始める意味

地域に暮らす人々の悩みやアイディアを住民同士で熟成させ、それを政策の実行プロセスに乗せることのできる地方自治には、大きな希望がある。このことに間違いはありません。着任して一年ほどの区長としては実績を語るのは早すぎますが、それでも「対話の政治」の種をいくつかまくことができました。そして後述するように、私が欧州のNGO時代に経験したのも、やはり「地方自治にこそ、希望がある」ということでした。

ではなぜ、国政でなく、地方自治が大事なのでしょうか。もちろん国政は社会を変える大きな権力を持っています。しかし、国家という権力は資本に近づいていく。ほうっておけば、国家が奉仕する対象は、大企業や超富裕層だけに傾いていき、九九%の私たちは排除されていきます。

言い換えれば、一%の人々による政治と社会の「独占」です。本来、公共であるべきものが独占的に私物化されていくということです。

このことにもやはり、多くの人が気づいているのだと思います。選挙期間中の街頭演説で「公共を取り戻そう」と私が訴えると、驚くほど多くの人が集中して話を聴いてくれました。

そして、一%の権力層が独占しているものを、国政レベルで一気にひっくり返して取り戻すことは困難でも、地方自治という足元のところから少しずつ逆転させ、公共を再生させていくことのほうが、まだ可能性があります。私が当選した選挙結果が好例であるように、数百、数十の票差で区長を取り替えることも可能です。

NGO時代に私がつながっていた欧州の地方自治体も、市民運動に背中を押されるようにして変革を起こしていきました。同じことが日本でも起きつつありますが、まずは私が欧州で関わってきた水道事業の脱民営化の事例を中心に「公共を取り戻す」プロセスを見ていきます。

▼民営化の正体――国家と資本の癒着

少し歴史をさかのぼってみます。誰もが生きていくために必要とするのが水ですが、一九八〇年代から新自由主義の波が押し寄せるなか、欧州の公営水道事業は、次々と民営化されていきました。「非効率な」公共事業はできるだけ民間に任せたほうが効率的で安価にサービスが提供できるというお題目が唱えられ、国家やEUが民営化を後押ししていったのです。

水道事業だけではありません。新自由主義の総本山イギリスでは、サッチャー政権以降、政府歳出の削減を目的として、それまで国有だった電気、石油、ガス、鉄道、航空、郵便、通信などの公共事業・公共サービスを次々と民営化していきました。こうした誰もが生活していくのに必要なモノやサービスを〈コモン〉（共有財）と呼びますが、その〈コモン〉が、国家と癒着した企業の「儲《もう》け」の道具として扱われるようになっていったわけです。それを覆い隠すように、政治の世界では「公共サービスを民営化すれば、万事うまくいく」という神話が席巻していきました。

ところが実際には、民営化された後のほうが、問題が増えていったのです。水道事業を例にとれば、水質の管理や設備の更新がなおざりになりました。EUの環境基準が厳しくなるなかで、基準を守るべく設備更新をするよりも、基準値以上の汚水を垂れ流しても、罰金を払ったほうが安くつくと判断する民間事業者さえ出てきました。

水道料金の大幅な値上げも各地で行われました。その結果、水道料金の支払いが滞り、水道を止められて苦しむ貧困世帯まで出てきました。トイレの水を流す回数を減らすなど極端に水の使用を控える「水貧困」世帯は、イギリスのイングランド地方で一七・四％にのぼると言われています。[*1]

こんな問題が起きるのはよく考えれば、当たり前のことです。水道事業を扱う大企業は利益を確保し、経営陣に高い給与を支払い、株主への配当も準備しなくてはなりません。公共サービスであった時代にはなかった費用が上乗せされます。また、環境保護のための設備投資や水道管の漏水を減らすための管の更新やメンテナンスなどの費用も節約されがちです。

さらにまずいのは、運営の仕方や経理の内幕も、「私企業」の秘密だからという理由で、ブラックボックス化されていくことでした。経営が不透明なままでは水道を住民のものとして、積極的に管理していこうとしても、何もできません。「民営化」は「自治」の力を潰し、奪うのです。

〈コモン〉が商売の道具になったことで、不利益を被った九九％の普通の人々の不満は、やがて再公営化を求める市民運動のうねりとなり、欧州各地の地方自治体を動かしていくようになりました。その運動に関わる人々のなかから、首長や議員が誕生するケースも多数あります。常に市民と連携しながら、公共を取り戻そうとする地方自治が始まっているのです。

▼〈コモン〉の管理から始まる「自治」

そうした事例はいくつもありますが、注目されているのはスペインのバルセロナ市でしょう。

「バルセロナ・イン・コモン」という地域政党が、水道・住居・エネルギーをめぐる市民グループや協同組合などの連帯経済や自治組織の担い手の団体から生まれ、〈コモン〉の拡充をはかる女性市長が二〇一五年に誕生しました。

あるいは、フランスのパリ市では、水道事業の運営に市民も参加できる「市民営化」とも呼べる水道事業の仕組みが、二〇〇九年に水道再公営化を果たした後に誕生しました。水道事業を営む水道公社とは別に市民や働き手が意見やアイディアを述べる組織が創設されたのです。企業が担っていた管理を単純に公共事業に戻すだけではない「進化」と言えるでしょう。

パリ市の水道公社の取り組みで特筆すべきは、水源の環境保護に大きな力を入れている点です。環境のための投資などは、短期の利益しか考えない企業にとってはよけいな負担ですが、「市民営化」された水道事業は、長期的な視点で、水源流域の土地や環境を守り、人々の健康を守るための水質維持を目的にすることができます。環境をケアすることで水という〈コモン〉をより安全なものにする。こうして市民は「公共」を取り戻していったのです。

こうしたパリの「市民営化」は、市民が自己決定権の回復をしていった好例です。これこそが「自治」でしょう。公共サービスの再公営化をするにしても、単に行政任せに戻すのではなく、市民が積極的に参画し、民営化で失われた〈コモン〉の管理権を自分たちの手に取り戻そうとする自治的な動きが起きてきているのです。自分たちが生きていくために必要なものについて自分たちで決めていく。これを、私は「経済の民主化」と呼んでいます。

この新しい水道公社「オー・ド・パリ」が、ほかの地方自治体が水道を再び公営化する際に直面する問題を解決できるように積極的にサポートしている点も重要です。こうした「公と公の連携」ができるのも、公共事業だからです。私的企業が独占している状態であれば、「情報や技術は金《かね》なり」なので、わざわざほかの会社にノウハウを流出させることはしません。

新自由主義が力を発揮していた時代においては、「官」と「民」の連携、つまり「官民連携」が理想の姿としてうたわれました。しかし、それは国家と資本の癒着の温床です。「官民連携」ではなく、「公公連携」を深めていくことも、「自治」の力をつけていくための実践のひとつと言えるでしょう。

▼国家と資本を恐れないフィアレス・シティ

水道以外に「食」という〈コモン〉についても、ひとつ実例をあげておきます。公立小学校で提供される給食の食材・食品は、企業の国籍を問わず、必ず競争入札をすることがEUで義務づけられました。入札というと、公平・公正・効率的に響くのですが、これも新自由主義的なイデオロギーのもと、大企業に有利に働くようにEUで進められた制度です。言ってみれば、給食が大資本の金儲けの道具になるように、という「配慮」です。

実際、この入札制度の結果、起きたのは地元の食材・食品の排除でした。近隣の農家で収穫される新鮮で安全な有機野菜などは「コストが高い」と排除され、グローバル企業が供給するパッケージ化された加工食品ばかりが入札に勝ち抜いていきます。結局、給食のテーブルには特定企業の加工品ばかりが並ぶようになり、新鮮で安全な食べものから遠ざけられた子どもたちが不利益を被るようになりました。

競争入札制度を押しつけるＥＵとグローバル企業に対して反旗を翻せば、ＥＵ委員会から制裁を受けます。しかし、知恵を絞ってＥＵ委員会を説得し、入札を回避した自治体がありました。フランスのグルノーブル市です。子どもの食育のために地元の農地を訪問する必要があるという理由を掲げ、結果として地元産の有機野菜を給食に提供するという道筋をつくったのです。

グルノーブル市の主張は、こうでした。学校給食の食材がどこから来るのかを学ぶ農場見学を小学校のカリキュラムに取り入れたので、子どもたちが農家を訪れるためには、近隣の農場でなければならないのだ。そのような創造的な理由で押し切り、地元の食材を公的に購入する道筋をつけ、地域の子どもたちの「食」についての決定権を資本と癒着するＥＵから奪い返したわけです。

この事例は公共調達を「自治」のためにうまく使った、という意味でも非常に重要です。公共調達とは、自治体が物品やサービスを民間から購入する行為のことです。

公共調達を地元の企業や協同組合に受注させ、地元市民から徴収した税金である調達費を地域内で循環させれば、地域の富が蓄えられていきます。あるいは公共調達の発注先が地元企業であれば、地元の人たちでモノをつくり、サービスを行う地域の力が強化されていきます。これが、地方自治にとっては大きな武器になるのです。

グルノーブル市のように創造的な政策を繰り出し、ＥＵや国家による制裁をはねのける自治体は数多くあり、これらの自治体は「フィアレス・シティ（恐れぬ自治体）」と呼ばれています。

もちろん、これは資本の規制という話でもあります。資本の規制というのは自由主義経済のもとではタブー視されがちですが、住民の「住む権利」や地域環境を守るためには、資本の規制をも恐れずにやっていくのが「フィアレス・シティ」の精神です。

たとえば、前述のバルセロナ市やオランダのアムステルダム市は、民泊や短期観光宿泊施設の規制を始めました。オーバー・ツーリズム（過剰な観光業）の犠牲になる市民を守るためです。賃貸住宅が民泊に転用されることが多くなり、市民の「住む権利」が脅かされるようにもなってきました。観光業を持続可能なビジネスにするためにも、重要な措置だという判断です。

さらにアムステルダム市は、化石燃料産業の広告を規制することにも成功しました。これは気候変動を念頭に置いた規制です。アムステルダム市に限らず、気候危機に対応する都市計画を行っている欧州の都市はますます増えていますが、自転車、歩行者、住民中心の都市計画を進め、自動車の乗り入れの制限をする地区を積極的に増やしています。これもフィアレス・シティの特徴です。

▼ミュニシパリズム――広がる市民の挑戦と自治体の連帯

再公営化で〈コモン〉を取り戻したり、フィアレス・シティとして国家やグローバル資本に抵抗する地方自治体の試行錯誤は、国境を越えてその手法やビジョンが共有されるようになってきています。ここまでで触れたバルセロナ市やグルノーブル市に加え、イタリアのナポリ市、イギリスのプレストン市、イズリントン・ロンドン自治区などが中心となり、数多くの地方自治体が連帯し、頻繁に会議を開くようになっていったのです。

このボトムアップ型の動きは「ミュニシパリズム」と呼ばれるようになりました。ミュニシパリズムとは、地方自治体を意味する「municipality」に由来する言葉で、直訳すれば、自治体主義・地域主権主義といった日本語になるかと思います。

ただ、そうした地域主権主義というようなお堅い熟語からは見えない豊かさが、ミュニシパリズムには含まれています。まず重要なのは、市民の生活を切り崩してきた新自由主義を、連帯と社会正義で克服しようという「市民の挑戦」だという点でしょう。地方自治体の役所や首長が主体ではないのです。主役は市民です。

さらに具体的には、選挙による間接民主主義だけを政治の場とするのではなく、市民の直接的な政治参加を促し、地域に根づいた熟議のなかで、「自治」を育むこと。利潤の追求や市場のルールよりも、市民の社会的権利の実現をめざすこと。新自由主義から脱却して〈コモン〉の価値を中心に置くこと。さらに後で詳しく述べますが、この「自治」には〈ケア〉の視点が強く意識されていること、などです。

そうした営みのすべてがミュニシパリズムです。ここにどうしても「など」とつけたいのは、ミュニシパリズムは、厳密に定義するべき用語というよりも、日々、耕されている運動だからでもあります。

またミュニシパリズムにとっては、政治のフェミナイゼーションも重要な柱です。フェミナイゼーションを直訳すれば、女性化という日本語になります。しかし、これは単に「女性議員の数を増やせばいい」というような数字の問題に留まらない話です。どの国においても政治そのものが男性的な「競争」や「対立」という価値観で行われがちですが、「共生」や「協力」「包括」「共有」といった、女性的価値で行うべく、政治や選挙のやり方を根本から変えていこうというのがフェミナイゼーションの意味するところです。もちろん、組織のあり方も変えていく必要があります。

そしてミュニシパリズムは、排他主義やナショナリズムにもとづく極右思想からはっきりと決別するだけではありません。左派に蔓延する知的なエリート主義とも一線を画し、時にリベラルな勢力に見られるグローバル競争や個人の競争の称賛にもくみしません。

むしろその反省に立って、トップダウンの国家的社会主義や全体主義的な共産主義の遺産からも自由になろうとし、地域社会や草の根から発する市民の集合的な思考や行動を大切にし、「水平的で多様でフェミニン」な関係を築くことを志向するものです。

▼政治のフェミナイゼーションと〈ケア〉の思想

このように〈コモン〉の再建を中心とするミュニシパリズムの運動と関わるなか、私自身は、当然、自分が政治のフェミナイゼーションの重要性も理解していると思っていました。しかし実は、自分の活動のなかでやや関わりの薄かったピースがあることに、コロナ禍をきっかけに気がつきました。〈ケア〉の視点です。

〈ケア〉という言葉を私なりに定義すると、まわりの人々から人間以外の生物や環境まで気遣うことです。すべての人は生まれる前からケアされ、人生を通じてケアをして、そしてまたケアされて人生を閉じるのです。ケアから無関係の人は誰もいません。『ケア宣言』を発表した女性学者たちはあえて編者・著者として個人名を前面に出さず、ケア・コレクティヴという集団の名義で以下のように〈ケア〉の定義を整理しています。[*2]〈ケア〉とは「配慮すること」(caring for)、「関心を向けること」(caring about)、「ケアを共にすること」(caring with)。これも素晴らしい定義だと思います。

二〇二〇年に始まったコロナ禍では、この〈ケア〉が注目されました。ロックダウンや厳しい行動制限が課されるなか、医療、保健、介護、保育、教育、衛生、食料、流通などを提供する仕事に従事するエッセンシャル・ワーカーたちは、人々の命を守り、命をつなぐために働き続けましたが、こうしたエッセンシャル・ワークのすべてが、人々の命に関わる〈ケア〉の分野だからです。

一方、繰り返しになりますが、それまでの私の仕事や運動の仲間たちは、脱民営化・再公営化をテーマとして扱ってきました。つまり、〈コモン〉の再生です。

しかし、もう一度〈コモン〉とは何かを問い直すと、誰もが「生きていく」ために必要とする共通財産のことですから、〈コモン〉の再生を考えるならば、命を育むという〈ケア〉の思想を強く意識することが本当は必要だったのです。

ところが、〈ケア〉の思想は、主にフェミニズムの運動に関わる人々のあいだで耕されてきた思想です。というのも、医療やケア分野の従事者のうち、七割以上が女性だからです。

しかも女性たちは家庭でも家事などの無償の〈ケア〉の仕事をこなす必要に迫られ、そのせいで社会においてはフルタイムでは働きづらく、低賃金の非正規雇用に押し込められてきました。欧州を例にとれば、新自由主義政策とEUが押しつける厳しい財政規律の影響で、医療・保健・介護といった〈コモン〉と〈ケア〉の結節点の分野で民営化が進み、雇用の非正規化・不安定化が大きくなっていました。それを踏まえれば、〈コモン〉と〈ケア〉の運動は一体にして進めるべきものでした。

ただ残念なことに、民営化の弊害を問題視し、再公営化を進める〈コモン〉の運動とフェミニズムの運動のあいだにはそれまで、お互いへのリスペクトや思想の共有はあっても、両者は一緒に行動するといった直接的な接点をあまり持てずにいました。

それがコロナ禍で始まったオンラインの会議やシンポジウム、講演会の隆盛によって、状況が一変しました。それぞれが別々に行ってきた会議や勉強会、シンポジウムを結ぶことが可能になり、文字通りのネットワークができ上がったのです。

〈コモン〉と〈ケア〉は、ひと続き――。それをとりわけ痛感したのは、自分が所属したNGOが開催した「コロナ危機―国境を越えた対応」というウェブ・セミナーシリーズのなかでのことです。『99%のためのフェミニズム宣言』の筆者のひとりのティティ・バタチャーリヤが登壇したのです。[*3]

彼女は〈ケア〉の分野の仕事を「ライフ・メイキングシステム」（命を育む仕組み）と呼んでいます。そして、セミナーのなかで彼女はこう述べました。

「良質な労働力を確保し続けるために、資本主義が保育や教育などのライフ・メイキングシステムに依存しているのは明らかです。ところが、資本主義は、ライフ・メイキングシステムを維持できるかどうかのぎりぎりまで抑圧していきます。その手段は、民営化の推進による不安定雇用の強要であったり、賃金のカットであったりするのです」

彼女の言葉は、私のなかでこのように響きました。脱民営化をはかり、〈コモン〉の再生をめざす運動は、資本主義が抑圧する〈ケア〉の分野とそこで働く人々を守る運動でもあるのだと。

▼〈コモン〉と〈ケア〉の両輪

ところが、〈ケア〉の分野が女性に押しつけられているという偏りを解消していくにあたって、安直な解決策として「ハウス・キーパーや介護従事者を雇えばいい」「外国から安い労働力を連れてきて、従事させればいい」という話になりがちです。

もちろん、これでは解決になりません。それどころか有色人種の移民労働者の女性が、安い賃金でこうした仕事に従事させられる機会が増え、新自由主義的なシステムをさらに補強することにもなりかねません。すでに欧米社会では顕著ですが、高所得の白人世帯の家事労働や育児のケアワークを（有色人種の）移民女性労働者が低い時給で担っています。その一方で、移民女性は自分の子どもを親戚などに託して出国し、遠く離れた土地で他人の子どもの世話をしているのです。これが〈ケア〉のグローバル・サプライチェーンといわれるもので、まさに搾取的な関係を温存しています。

また、出稼ぎでなくとも〈ケア〉に従事する人たちの労働では、行政の指導や法的な雇用関係の外で働くことを強いられているケースが目立ち、時には無償で労働を提供していることも多いのです。しかも、その人たち（多くは女性）は、自分の家族のケアも担っています。

こうした問題の解決策として、たとえば、先述した地域政党「バルセロナ・イン・コモン」はデイケア・サービスのコモン化を打ち出しました。子どもや高齢者のデイケア・サービスを低所得者やシングル・マザーなどに自治体が無料で提供するようにしたのです。

一方、この政策はケア・ワーカーのほうにもメリットがあります。自治体がきちんとした待遇で雇用し、しっかり対価を払ってくれるからです。法的な保護の行き届かない雇用に押し込められがちなケア・ワーカーたちには大きな救いです。これが実現した結果、低賃金労働で苦しい生活をしている人たちも、家族の〈ケア〉を無料で公的な場にゆだねることができるようになります。

〈コモン〉の再生をめざす運動が資本主義が抑圧する〈ケア〉の分野とそこで働く人々を守ることになる、というのは、こういう意味です。事業の規模としては小さいものかもしれません。しかし、この素晴らしい取り組みは、「コモンとケア」の結節点に地方自治の原点があることを示してくれるものです。

▼地方自治から国政を揺るがす南米チリ

こうした〈コモン〉と〈ケア〉を政策課題の中心に置いた運動は、南米のさまざまな自治体で活発であることにも、コロナ禍が始まった頃に気づかされました。それまでどうしても欧州中心になっていた自分の活動やネットワークが、オンラインでの会議やセミナーが活発になったおかげで、ほかの地域にも広がっていきました。

たとえば、チリ。首都サンチアゴのレコルタ区では、二〇一二年から左派のダニエル・ハドゥエが区長を務め、薬局の公営化を実現させました。これは、寡占状態にある医薬品メーカーが価格を高騰させてきた結果、民間の薬局で流通する薬価があがり、所得の低い世帯にとって手の届かない状況になっていたのを改善するために行われました。レコルタの区政は人々が医薬品に平等にアクセスできるよう、医薬品を公的に管理する公立薬局の新しいモデルをつくり、自治体が物資の直接の提供者となったのです。これによって月々の薬代が七割も安くなった世帯もあります。

言うまでもなく医薬品は、人々が生きていくために必要な〈コモン〉であり、命に関わる〈ケア〉の分野にあるものです。この公営薬局のシステムは、後に全国に広がっていきました。

もちろん国民皆保険の整った日本の水準からすれば、数字の上のチリの現状はまだまだだと言えるかもしれません。しかし、新自由主義が世界で最も早く導入され、そして最も深くそれによって国の屋台骨がむしばまれてきたのがチリです。ピノチェト独裁政権下の一九七〇年代に、シカゴ大学のミルトン・フリードマンのもとで学んだシカゴ・ボーイズと呼ばれるエコノミストたちが経済官僚として経済政策を牛耳り、新自由主義の実験台にされたあのチリで、地方自治体からの要求が実を結び、大きく方向転換をしようとしていることが、いかに画期的なことなのか。

もちろんこの話のなかで最重要なのは、人々の暮らしを守るべき地方自治体から変革が始まり、次々と別の自治体へとその変革が手渡されていったことです。

そして、地方自治体での小さな変革や運動の積み重ねは、国政をも揺るがしていきました。レコルタ区のダニエル・ハドゥエも大統領選の予備選に出馬しましたが、彼を破って左派連合から出馬したガブリエル・ボリッチが二〇二二年三月に大統領に就任したのです。

ボリッチは「チリは新自由主義が生まれた場所であり、その墓場にすることだってできる」と繰り返しアピールしてきた人物です。学生運動を出発点に左派運動を展開してきた彼が、極右の対立候補を破って、大統領選に勝利しました。この政権誕生を後押ししたひとつの勢力がフェミニズム運動だったという側面もあり、やはり〈コモン〉と〈ケア〉の結節点のような分野の問題を重点的に扱おうとしているように見えます。

ボリッチが選挙戦から訴えた提案のひとつが「国民皆ケア・システム」の創設で、家父長制の負の遺産を押しつけられている女性の仕事を評価し、〈ケア〉を社会全体の責任として共同で行うことをめざそうというものです。

チリの経済学者であるパウラ・ポブラリによれば、チリのすべての無償ケアサービスの経済価値を試算すると、GDP（国内総生産）の二二％にのぼります。[*4] そのうちの七二％が女性によって担われ、実際にはその多くが無償で行われています。家庭内で行われる育児、家事、介護は、肉体的にも精神的にも長時間の重労働でありながら、賃金が払われることのないアンペイド・ワーク（無償労働）です。これはチリでも日本でも、おそらく多くの国でも同じです。

そして、労働市場にいないということは有給休暇もなく、年金も乏しいか、ないということです。

今、チリがめざす国民皆ケア・システムでは、まず「〈ケア〉を仕事として認めること」「有償、無償にかかわらずケアに従事する人の権利、すべての人のケアされる権利を確立すること」を出発点としています。たとえば、家庭内で無償で行われている〈ケア〉の一部をプロフェッショナル化して国家が支援するというものです。

それでいて、地域コミュニティにおいて長年、自律的に行われてきた市民共同の保育や介護を尊重し支援するという姿勢もあり、そこを私は高く評価します。これは、長い間に育まれてきた自律的なシステムを破棄して国家が画一的なサービスを供給することになってはいけないという自制です。

もちろん政策的に簡単なことではないと想像します。しかし、多くのフェミニスト経済学者や地域の自助グループをまとめる連合体・ネットワークが政策的な議論に関わることで、このように、ケアする人を真にケアするフェミニスト的な社会を思い描くことができるでしょう。

▼インソーシングで「命の経済」を耕す

弱い立場の人たちを守り、命を中心に置く視点を持つこと。巨大で強大な多国籍企業などの利益のためではなく、まさにそこに暮らす人々のための政治を行うよう、組織内部での実践を重ねていく。私の言葉で言えば、これは成長や強欲のための経済ではない「命の経済」を耕していくということであり、地方自治が最もめざすべきものでしょう。

その耕す「能力」を、地方自治体は高めていかなくてはなりません。水道事業を例にとれば、大企業に発注してアウトソーシング（外部化）することで、水道を維持する自治体の「能力」が失われてしまいます。災害など緊急事態の際も自治体では対応できず、すべて企業にお任せ、となってしまいます。

しかし、それとは逆に、アウトソーシングをやめ、インソーシング（内部化）すれば、自治体が水道の専門職員らとともに真剣に運営を考え、自治体の能力を増すことにつながります。そこに市民の参加を促し、一緒に水道事業の運営を考えていくような新しい「自治」への道もひらけていきます。

バルセロナ市が運営するデイケア・サービスのメリットを先ほど紹介しましたが、これもインソーシングのひとつでしょう。あるいは、ごみの収集ひとつとっても、リサイクルや、ごみの排出を減らす「ゼロウェイスト」の視点から、自治体の戦略的な環境政策としてとらえ直し、より総合的な観点から政策を実施することもできるようになります。

地方自治体が仕事を細切れにして民間へ委託したり、企業に切り売りしたりすれば、公共政策のおよぶ範囲は縮小し、自治体は課題と課題をまたぐ政策の調整能力も失います。逆にインソーシングを増やし、地方自治体の政策立案や実行能力を高めれば、国の施策を待たずに、地方自治体が主体となって環境問題など、大きな問題への取り組みを進めることも可能になるのです。

実は、地域政党「バルセロナ・イン・コモン」が第一党としてバルセロナの市議会に入った時、最初にやった取り組みのひとつが、アウトソースされていた自治体サービスの全面的な見直しでした。当時、二五〇ものアウトソース契約があり、どのサービスがどの企業にアウトソースされているのか、市議会議員ですら把握しづらいような状態になっていました。それを一つひとつ丹念に点検して、何を直営でやっていくか、何をアウトソーシングしたまま続けるのかを考える。アウトソーシングを続けるにしても、公契約条例のような規定を使って、労働者の人権を守るように企業に厳しく注文するといったことも、丁寧に推し進めたのです。

先述した通り、介護や保育、清掃などの〈ケア〉の分野は、労働者が一番抑圧されやすい職種です。ここをあえて市の直営でやっていくのは、主に労働者を守るためでした。あるいは、外部に任せるにしても、グローバル企業ではなく、利益を追求しない地元の協同組合に発注していくという積極的な公共調達の使い方ということもやっています。

ここではバルセロナを具体例としてあげましたが、他にインソーシングや地元の企業や組合からの公共調達が盛んになっているのは、イギリスのプレストン市、イズリントン・ロンドン自治区などです。公的機関（市庁舎、医療保健機関、美術館、公立の学校など）による公共調達を活かして、衰退していた域内経済と雇用を回復させたプレストン・モデルは特に有名です。

このモデルにならった結果、衰退気味だった自治体が復活するケースが相次ぎ、イギリス国内だけでなく、世界中から注目されています。市場原理の新自由主義を牽引してきたイギリスで、逆転劇が始まったと言ってもよいでしょう。

▼インスティテューションを変えるのは市民

さて、このように、ミュニシパリズムやフィアレス・シティを掲げる自治体を中心に世界各地の革新的な実践を説明してくると、おそらく皆さんの頭のなかでは、杉並区の区長として、岸本は何をどこまで実践するつもりなのかという疑問がわいてきていることでしょう。

この原稿を書いている段階では、住民不在の道路開発から脱却すべく、住民が主体的に「まちづくり」「道づくり」に関わることのできるデザイン会議を出発させることができました。性の多様性を尊重する条例やパートナーシップ制度の導入、そして市民気候会議や参加型予算（一一一頁参照）の発足もこの一年の成果です。

しかし、最も大事なこととして申し上げたいのは、フィアレス・シティやミュニシパリズムの運動の主役は市民であるという原点です。確かに日本において地方自治体の首長の権限は大きいのですが、区長ひとりの決断でやるとすればそれはトップダウンで独善的なことになりかねません。

区長が大きな変化を起こすには、改革を求める市民の声が強く存在するから、という正当性が必要です。首長の役割は、多くの市民が望み、声をあげれば、物事は変えられるというメッセージを発することです。さらに、やればできるという市民の自信をつちかう「自治」の土壌（もしくは土俵）をつくることでしょう。そして、将来へのビジョンやそれを実現する戦略を持ち、さまざまな軋轢《あつれき》が生じても妥協せずに、社会正義を希求する倫理を守ることだと、私自身は思っています。

地方自治体はひとつのインスティテューション（組織、制度）であり、過去の議論にもとづく計画によって動いています。一夜にしてすべてを取り替えることは不可能ですし、それをやっていいわけでもありません。これは私だけが直面している問題ではなく、世界中のミュニシパリズムをめざす都市でも同じことが起きています。活動をともにしてきた市民団体や草の根の運動家たちが、「なぜストリートで言っていたことを今すぐ実行しないのか」と不満を漏らすことも世界で共通です。

しかし、この章の冒頭で説明した、市民の手による政策集のことを思い出してほしいのです。日頃の不安や不満を普段から市民同士で話し合い、より具体的にポジティブに自分たちの願う自治体のあり方を提案していく。あのプロセスを何度でも繰り返してほしいのです。それがその町の首長を後押しすることになります。たった一回の選挙ですべてが変わるわけではなく、「自分たちの選挙」「自分たちの政治」を続けていくのが「自治」なのです。

ひとつの自治体が恐れを抱かずに国や企業にモノを言い、新自由主義的な緊縮財政ばかりを行わず、ほかの自治体ともミュニシパリズムの精神で連帯していくには、市民の声が必要です。

実際、杉並区ではそうした力強い市民の運動が今も続いています。

▼杉並区の児童館と住民の声

私が区長に就任してすぐに直面した問題を、ひとつお話ししておきましょう。区内の児童館の存続を訴えて当選したにもかかわらず、すでに廃止の計画が進んでいた児童館を閉鎖せざるをえない事態となったのです。前区長の時代から区が取り組んでいた施設再編について、いったん立ち止まって考えるという原則を打ち立てたものの、事業の進捗状況などから進行せざるをえない案件と、考え直す時間を取れる案件との線引きのなかで、下高井戸にある児童館の閉鎖を決断するに至りました。

これを受けて、放課後の児童の居場所を求める地域の保護者の方々は、児童館廃止反対の運動を強化しました。廃止の決定が議会を通過してもなお、決定を撤回するように署名運動は続き、計二〇〇〇筆を超える署名が集まったのです。そのなかには、子どもたちが自分たちでつくったアンケートの回答一〇〇通も含まれていました。しかし、議会を通った廃止条例の決定は元には戻りません。この条例案を区長である私自らが出さなければならなかった苦悩を私は決して忘れません。

けれども、その後も区と住民の対話は続きました。今の児童館がなくなるなら、代わりに新設される子育て施設の使い方について、住民と子どもたちを交えた協議会をつくろうというアイディアが生まれてきました。居場所をなくした放課後の小学生たちが使えるように幼児用の子育て施設を一部小学生にも開放する要望があがり、それは実現できました。

　こういう住民からの声に、区の職員たちが真剣に耳を傾ける土壌もでき上がってきて、今ではそれらを実現するために職員は関係者と調整しながら汗をかいています。これは児童館廃止条例が成立してもなお、あきらめなかった地域の皆さんが声をあげ続けてきた成果であり、それをどうにか汲《く》み取ろうと私はもがいてきました。

　過去の大きな決定を変えていくには、トランジッション（移行）のプロセスが必要です。別の言い方をすれば首長、職員、議員と住民が相互に作用してともに成長していく道筋です。

　そのプロセスに多くの人たちが参加し、未来を構想するのが民主主義だとすると、杉並区の人たちの姿勢にはやはり大きな希望があります。

　そして、杉並区だけでなく日本でも先進的な取り組みをしている市民や自治体はたくさんあります。欧州や南米だけでなく、この日本でもミュニシパリズムは花開こうとしています。

▼市民と歩くインスティテューションをつくる

　もちろん地方自治体は、市民の声を聞いただけで終わりにすべきではありません。ただ単に市民が集まって、「こういうのがいいね」と言い合うだけの場づくりに留まれば、やがて市民は疲弊します。そのような場は持続可能ではありません。

　市民の声が届きやすい仕組みをつくり、その意見が反映された予算が執行され、成果が地域コミュニティに還元されること、さらに市民がその成果を感じることができる――。そうしたプラスの循環が必要です。

その手段のひとつが、市民が使い道を決めることのできる参加型予算という手法です。もともとはブラジルなど南米で始まった手法ですが、バルセロナ市では年間の投資予算（インフラなどの整備に使う費用）のうち、二〇二〇年には約一一三億円が参加型予算に割り当てられました。住民自身が、各地域で必要とする投資事業を提案し、その提案のなかから、住民投票で選ばれたものが執行されます。二〇二〇年には、六〇〇を超える住民提案があり、「自治」を活性化していることがうかがえます。[*5]

この手法のメリットのひとつは、行政側の目線ではなかなか気づけない、生活に密着した事業が提案されること。小学校に隣接した公園を子どもたちが安全に遊べるように改修するというような地域の人たちの生活に根づいたアイディアが並びます（こうした提案を募集する際に、バルセロナ市では独自に開発したデジタル・ツールを使っています。「decidim」と呼ばれるこのツールを市民が使うと、提案の応募だけでなく、その後の投票、決定のプロセスをフォローすることができます。「decidim」は、市民と市政の双方向的なコミュニケーションも可能で、バルセロナ市の参加型民主主義に弾みをつけるのに役立っています）。

参加型予算はすでに日本でも導入している自治体がいくつかあり、今後も広がっていくでしょう。杉並区もこの参加型予算の導入を決定し、まず小さな金額からですが、二〇二四年度にスタートさせます。

人々が無関心のまま上からの政策に従うのでもなく、せっかく下から声をあげているのに成果がないまま終わってしまうのでもない。今、自治体に求められているのは、下からの声を上に届けるインスティテューションなのです。

▼上からでもなく、下からだけでもなく

そのような意味で、市民と自治体の関係をさらに先進的なものにしたケースをひとつご紹介しておきましょう。二〇一四年に制定されたイタリア・ボローニャ市の条例「都市コモンズの維持と再生のための、市民と都市のあいだの協働に関する条例」（ボローニャ条例）です。この条例は、具体的には緑地、広場、道路、歩道、学校、廃墟《はいきょ》などの公共空間を、市民とともに、再建していくものです。

たとえば古い蔵などを住民が集えるカフェやレストランなどのミーティング・スペースに転換することを、市民と共同でやっていくのです。実現が難しそうに思えるかもしれませんが、すでに四〇〇もの具体的なコラボレーションが生まれ、行政と市民が共同で活用・管理をしています。

これが画期的なのは、市民が求めた時、行政がその声に必ず耳を傾け、市民と共同で施策を実現しなくてはならないという強制力が、条例に含まれている点です。つまり、市長が誰であろうが、議会内の与党がどの党であろうが、都市そのものを〈コモン〉として扱い、市民の参加に扉を開かねばならない、という考え方にもとづいてできた条例です。現在の日本では、神宮外苑（一一六頁参照）をはじめとして、市民との対話なしに、都市や公園の再開発計画が強

行されようとしていますが、むしろこうした条例を手本とすべきなのです。〈コモン〉や〈ケア〉を大事にする価値観を地方自治体のインスティテューションのなかに埋め込むことができれば、資本の言いなりになる国家の圧力をはねのける強力な武器になるでしょう。

実は、杉並区でもこの精神に近い先進的な「自治基本条例」がありますが、理念に留まり、区民と区役所のコラボレーションを生み、制度化する具体的なツールにはなっていません。これからの課題のひとつです。

▼少人数で「ここから」始める

この章では、みんなの共有財産である〈コモン〉の再生の運動に〈ケア〉の視点を加えて、ミュニシパリズムを拡充していくことを訴えてきました。世界でも、日本でも、確実にそうした運動は成果をあげつつあります。

とはいえ、何から始めてよいのかわからないし、自分には難しそうだという読者の気持ちもわかります。ここでひとつの曲を紹介したいと思います。杉並区にある環境をテーマにしたカフェの店主がその名も「ミュニシパリズム」という曲をつくり、YouTube で公開しています。[*6]その曲で歌われているのは、「どうせ無力さ」と、あきらめにとらわれがちだけれども、自分の暮らす「ここからなら変えられるかも」という小さな自信を積み重ねていくのがミュニシパリズムだということです。

そして、小さな運動がやがて大きな潮流につながっていくことを、確実な希望としてお伝えしたいのです。たとえば、イギリス・オックスフォード市の市内交通機関のサービス改善を求める「We Own It」という、わずか三名で始めた若き女性の市民グループがあります。民営化された交通サービスの問題点を調査し、地元で署名活動を展開するという小さな運動から始まりました。地元の交通サービスをよくしたいという本当に地味な活動です。

ところが、このグループの主張はやがてメディアに取り上げられるようになり、多くの人々の共感を得て、イギリス全土に広がっていきました。そして、民営化の問題点が強く認識されるようになり、およそ一〇年後には誰も想像していなかった「奇跡」につながりました。長らく民営化されていたイギリスの国有鉄道の一部が、まさかの再公営化を果たしたのです。

「どうせ無力さ」とあきらめる姿勢を捨てて一歩を踏み出せば、「まさか」と思われることも実現できる可能性が開けていきます。「ミュニシパリズム」の曲を作ったカフェの女性店主自身も、その歌詞にこめた思いを実行するかのように、二〇二三年四月の杉並区議会議員選挙に立候補しました。そして、見事当選したのです。

一歩を踏み出したのは、彼女だけではありません。今回の選挙を通して、杉並区議会は四八議席のうち、女性議員が半数を占めるようになったのです。日本の政治のなかでは「まさか、ありえないだろう」と思われていた「新しい風景」です。しかも当選した女性新人議員たちは、三〇代の保育士、四〇代の子育て中の母親、闘病生活の後に立候補を決意した五〇代のシングルなど、地に足のついた暮らしを送ってきた女性たちです。

もちろん、議員になることだけが、新しい挑戦ではありません。身近な公園、目の前の道路、地域のバスや鉄道、学校の給食……。小さな疑問や不満を自分たちで話し合って、解消していく。小さな一歩を踏み出すことで自信をつけることがいかに大事か。それが、やがて大きなうねりを生み出すことに間違いはないのです。

コラム❷――「自治」の現場から

市民一人ひとりの神宮外苑再開発反対運動

斎藤幸平

気候変動を主題にした『人新世の「資本論」』を上梓してからというもの、環境問題や過剰な「開発」をめぐって、さまざまな相談をもちかけられるようになった。[*1] 大阪市の街路樹伐採、千葉の里山のメガソーラー建設、新宿御苑への放射性物質を含む汚染土持ち込み計画、そして神宮外苑再開発……。ネットで情報を拡散したり、勉強会で話をしたりすることは簡単にできるが、それで十分なのか。当事者たちの深刻な訴えを前に、自分に何ができるかを自問する。

毎日新聞の連載の取材で、都営霞ヶ丘アパートに住んでいた菊池浩一さんに話をうかがったときもそうだった。二〇二一年の東京五輪を前に、新国立競技場の建設と神宮外苑エリアの「整備」という名目で、菊池さんたちが長年暮らしてきた都営住宅は解体された。高齢の住民たちによるアパート廃止反対の声は、五輪というお祭り騒ぎにかき消された。立ち退きに伴い斡旋された転居先は複数にわたり、住民同士助け合っていたコミュニティも失われたという。[*2]仕事で手を失った不自由な身体で転居を余儀なくされた菊池さんに取材しながら、「強い者が勝つ」という、そんな再開発でいいのか、と憤った。

実際、強者は五輪にまつわる再開発でおおいに得をしている。かつての霞ヶ丘アパートの隣には、新築されたＪＳＣ（日本スポーツ振興センター）の高層ビルと超高級タワーマンションがそびえ立つ。五輪を理由に建物の高さ制限が大幅に緩和された結果、認可された高層建築だ。そもそも、高さ制限の撤廃が目的で、神宮外苑エリアが五輪の会場になったという話さえある。

そしてより深刻な問題は、あまりに乱暴な形でさらなる神宮外苑開発計画が続いていることである。これから神宮外苑エリアに三棟もの超高層ビルが新設される。つまり外苑一帯の一〇〇年の歴史をもつ森が破壊され、高層ビルが林立する計画なのだ。おかしなことに、ＳＤＧｓを謳う大企業がその陣頭に立っている。

そのうえ、ビルの用地は神宮球場と秩父宮ラグビー場という歴史ある競技施設を移転したり、神宮第二球場などアマチュア・スポーツのための施設を廃止したりすることで捻出されるという。そして新たな神宮球場の外壁が、あの美しい銀杏並木のすぐ脇にそびえ立つことになり、地中に深く打たれる壁の杭が木々の根を痛めつける。樹木の専門家たちが銀杏が枯死《こし》すると警鐘を鳴らしているのはそのためだ。

神宮外苑の樹木を守る署名運動を立ち上げ、二〇万人を超える賛同者を集めたロッシェル・カップさんによれば、伐採対象の樹木は三千本にのぼるという。つまり、一〇〇年前の先人が未来のために作った美しい森を、私たちが次世代に手渡せるかどうかの分岐点なのだ。

五輪などのビッグイベントを口実にして行われる、このような乱暴な開発を、アメリカの政治学者ジュールズ・ボイコフは「祝賀資本主義」と呼び、批判している。ビッグイベントの陰で、〈コモン〉の解体が静かに進められるというわけだ。

緑の少ない都心部において、神宮外苑の緑は貴重な〈コモン〉である。そしてこのエリアは、市民が手軽にスポーツを楽しめる場でもある。ところが、再開発の計画では、安価に利用できる軟式球場やバッティングセンターなどは廃止され、高級会員制テニスクラブだけが残る。まさに〈コモン〉だけが狙いうちされている。五輪の前に奪われた菊池さんたちの都営アパートのコミュニティも、やはり〈コモン〉であった。

企業が目先の利益を生むために〈コモン〉を破壊して、金儲けのための道具に変えようとしているこうした事態を前に、これ以上、黙っていていいのか、としばらくひとりで考え込んでいた。個人的にも、サッカー少年だった小学生の頃から国立競技場には通っていた。いや、そういうノスタルジックな話は脇においたとしても、この神宮外苑の再開発をまず止めることが、全国各地で進む他の乱開発の歯止めにもなるのではないか。資本の論理から〈コモン〉を守るには、市民が反対の声をあげるしかないのだから。

そう考えていた矢先に、神宮球場やラグビー場の移転・改革に反対する市民団体などから署名運動の賛同者になってほしいという相談があった。その後には、神宮外苑再開発の認可取り消しを求める訴訟の原告に加わらないかという誘いも受けた。もちろん、答えはすべて「イエス」だ。

大資本の儲けのために、樹木を伐採し、まだ使えるスタジアムを壊すことに合理性があるのか。気候危機の時代に、東京が進むべき開発の道ではないということは、自分の頭のなかではは っきりしていた。

神宮外苑のすぐ近く、渋谷駅周辺でも近年急速な再開発が進み、その結果、どこにでもある、つまらない商業施設やオフィスビルが増殖している。そんなものを増やすだけしか脳のない資本主義は、東京の魅力を低減するだけだろう。

大企業の短期的な利潤を優先した社会の開発は、社会のウェルビーイングや持続可能性を守ることにつながらないというのは欧米では共通認識になりつつある。ニューヨークでは、二〇〇七年以降、一〇〇万本の街路樹を植え、さらに一〇〇万本を植えようとしている。パリでも、五輪に合わせ、凱旋門やコンコルド広場で緑化が進む。気候危機の時代にヒートアイランド現象を抑制するのが一つの狙いだ。つまり、世界の流れと逆行する形で日本だけが、目先の利益のために木々を伐採しているのだ。もちろん、その利益で潤うのはごく一部の企業といわゆる「上級国民」だけだ。

さらなる経済成長のために、日本全国でさまざまな〈コモン〉が収奪されていく未来はすぐそこまでやってきている。東京でいえば「稼げる公園」をめざして、日比谷公園や芝公園などでも樹木を伐採し、商業施設に変える計画がある。スポーツ庁が推進するスタジアム・アリーナ改革で新設される全国各地の施設についても、公園を潰す施設について住民の反対運動が巻き起こっている。

このままでは、日本の社会全体が資本の論理にのみ込まれてしまう。だからこそ、市民の声を無視して開発計画を推し進めようとすれば、必ず強い反対の声が起きることを企業に知らしめる必要がある。それをきっかけとして、自分たちが暮らす街のあるべき姿を一緒に考えるようになってほしい。行政に任せっぱなしではなく、自分たちの地域をどうしたいのかを考えるのが、「自治」に向けた第一歩だ。

とはいえ、力の弱い市民が声をあげても効果がないと感じる人もまだ多いかもしれない。実際、神宮外苑再開発の問題が、全国的に知られるようになったのは、音楽家・坂本龍一さんが、亡くなる直前に小池百合子都知事などに宛てた手紙が報道されたことが大きい。もちろん坂本さんのような有名人が力を貸してくれれば、心強い。

しかし、スターが動かなければ、世の中は変わらないのだろうか。実は坂本さんはその後のメール・インタビューでこうも述べている。「私のように多少名前が世に知られた者の声ではなく、市民一人ひとりがこの問題を知り、直視し、将来はどのような姿であってほしいのか、それぞれが声を上げるべきだと思います」と。[*3]

それを部分的かもしれないにせよ、すでに体現しつつあるのが、今回の反対運動だ。自分も再開発反対の輪に加わって知ったのは、このムーブメントには「たったひとりの指導者」の存在や、立派な組織をもつ「大きな団体」がないということだった。

五輪開催前の新国立競技場問題のときから、一〇年以上にわたって、神宮外苑再開発の問題点を粘り強く情報発信している大人たちがいる一方で、大学生の団体がクラウド・ファンディングで、たちまち環境評価調査の費用をつくり、その結果を発表したりする。

地元の小学校の保護者たちは、住民の声を無視する事業者に対して、説明会を強く求める運動を始めた。神宮外苑の定期的なゴミ拾い活動を主催し、自分たちでこのエリアをケアする実践を始めたグループもある。デザインに強い人はチラシや動画の制作を頑張っているし、法律や条例に通じた人たちは都議会、区議会の傍聴に精を出し、議員たちとも連携を深めている。

つまり、大きな組織や有名人の力だけに頼るのでなく、むしろ、市民一人ひとりが、自分のアイディアや得意とする力を使って動き始めている。時に連携し、時に個人で動く。この本の後半で解説する「リーダーフル」（二六二頁参照）で自律分散型の動きがどんどん広まっているのだ。

こうした大勢の「ひとり」による、多彩で地道な運動があってこそ、神宮外苑の再開発反対の運動は世間の注目を集めるようになってきた。そもそも、あの坂本さんにこの問題にコミットするよう背中を押したのも、ひとりの市民が彼に宛てて送ったメールだったという。また、坂本さんの遺志を継ぐというミュージシャンたちが音楽を使ったデモンストレーションで、神宮外苑に六〇〇〇名を集めたこともニュースになったが、その運営にも手弁当で集まった「リーダーフル」な大衆が関わっている。ここでは、日本における新しい運動の可能性が、芽生えつつあるのかもしれない。

行き詰まる日本経済を前に、目先の利益のために、さらなる〈コモン〉の収奪を許すのか、それとも、資本の支配から市民が「自治」を取り戻すのか。日本の未来をめぐる選択は、自分たちが暮らす街づくりからすでに始まっているのである。

第四章

武器としての市民科学を

木村あや

木村あや
（社会学者／ハワイ大学マノア校社会学部教授）
一九七四年、京都府生まれ。ウィスコンシン大学マディソン校博士課程修了。博士（社会学）。*Hidden Hunger: Gender and the Politics of Smarter Foods* でアメリカ農村社会学会 Outstanding Scholarly 賞・*Radiation Brain Moms and Citizen Scientists: The Gender Politics of Food Contamination after Fukushima* で Society for Social Studies of Science 学会「レイチェル・カーソン賞」受賞。

▼「自治」の種をまく市民科学

東京電力福島第一原子力発電所の事故後、市民が自分の手で食品の放射能汚染を調査する、小さな測定所が日本各地に生まれました。それをテーマにした社会学の本を書いたことがあります。*Radiation Brain Moms and Citizen Scientists* と題した著作で、書名を日本語に訳せば、『放射脳ママと市民科学者たち』となります。[*1]

事故後に、放射能による被害を憂慮する人たちを「放射脳」、そんな母親を「放射脳ママ」と呼んで揶揄《やゆ》する風潮があったのをご存じでしょうか。主にSNS上で流布したこの造語には放射能を心配しすぎる妙な脳の持ち主という非難が込められています。そんな風潮のなかで、東日本を中心に各地でつくられた市民放射能測定所がそれぞれどのように運営されているのか、社会学者として聞き取り調査を行ったのです。

それは、私にとってはハワイ大学で教鞭をとり始めてから四年後のことでした。この調査のためにハワイを離れて一年間ほど日本に滞在し、北は宮城、南は沖縄まで放射能汚染を心配する市民たちがなぜ科学的調査を実践するようになったのか、そして、どんな困難を抱えているのかを調べてまわったのです。

ご存じのように、事故直後から政府は「直《ただ》ちに健康に影響はない」と喧伝《けんでん》し、翌月には「食べて応援」キャンペーンまで繰り広げていました。しかし一方で、政府の発表するデータの信頼性に疑問を持っている人も大勢いました。自分と自分の家族の健康は大丈夫なのか。それを守る手段はないのか。政府の言葉を単純に信じてよいのか。そういう切実な気持ちや悩みは、「自治」の小さな種ですし、その不安に立ち向かって何か行動を起こせば、それは「自治」の始まりだと言ってもよいでしょう。

その行動のひとつが、食卓にのぼる食品を自ら計測する市民放射能測定所だったというわけです。消費者が食品汚染を心配しても、その不安が客観的なデータにもとづかない限り、生産者に対する差別的な「風評被害」だと非難されてしまう。だからこそ、それまで科学と縁のなかった市民が科学的な調査手法を駆使して、その不安を訴えることが必要でした。

市民が自分たちの手で集めたデータをもとに行政と掛け合い、時には企業にモノ申す。それがよりよい社会につながっていく。そういった意味で、市民による科学的調査は「自治」をつくるためのひとつの重要なツールだと言えるでしょう。

▼市民科学の先駆

この市民放射能測定所のように、専門家ではない一般市民が科学調査に関与することを英語では「citizen science」（シチズン・サイエンス）と呼び、日本語ではさまざまな訳語がありますが「参加型科学」などと呼ばれています。[*2・3] 歴史的には、科学的な知識というのはアマチュアと専門家の垣根が曖昧なところからできてきたので、現在のように専門化が進んだのは一九世紀以降のことでしかありません。ですから、市民科学は科学のもともとの姿であり、その姿を取り戻そうとしているのだとも言えます。

シチズン・サイエンスを日本語に直訳すれば「市民科学」になりますが、日本では「市民科学者」とは市民に寄り添って行動する科学者を指すことが多かったように見受けられます。

このような意味での市民科学者の先駆のひとりとして、日本では核物理学者・高木仁三郎の名前をあげるべきでしょう。高木は都立大学での教授職を若くして辞し、反原発運動などに関わり、市民の手に科学を取り戻す運動に身を捧《ささ》げました。『市民科学者として生きる』という表題の著作も残しています。[*4]

あるいは、一九六〇年代にあった静岡県三島市・沼津市・清水町における石油コンビナート反対運動も市民科学の先駆のひとつでしょう。地域の学校の先生や科学者たちが鯉《こい》のぼりを利用して気流調査を企画したのです。ある学校では、生徒一〇〇人以上が各家庭で鯉のぼりをあげて、それで気流の流れを確かめたといいます。[*5–7]

アメリカでも第二次大戦後に科学者たちは自らのリサーチの結果が環境汚染や健康問題を引き起こしていることに気づかされ、また科学が引き起こす問題に対して特に大きな責任が科学者にあるのではないかという問いかけが公になされるようになり、さまざまな科学者を中心とする市民団体が設立されました。[*8]

市民が主導で立ち上がったアメリカでの市民科学の先駆として有名なケースは、住宅地の土壌汚染を国に認めさせたラブキャナル事件（一九七八年）です。化学メーカーの廃棄物埋め立て地であった運河を住宅地用に造成したところ、埋め立てたはずの廃棄物から猛毒が流れ出し、流産、死産、癌《がん》などが住民のあいだで多発していきました。そのような問題は隠されたまま住宅地として販売されていたのですが、汚染に気づいた住民――その多くが女性です――が調査を行い、政府に補償を求める住民運動を展開し、カーター大統領にそれを認めさせたのです。

▼脚光を浴びるシチズン・サイエンス

以上のように、市民が科学的な調査を行い、社会を変えていこうという運動は過去にも数多くありました。

ただ、欧米で「citizen science」(シチズン・サイエンス)という言葉が学術界で使われ、この言葉の指すところが定義されたのは比較的新しく一九九〇年代のことです。コーネル大学鳥類学研究所のリック・ボニーがバード・ウォッチングを楽しむ一般の人たちと鳥類調査を連携して行い、それをシチズン・サイエンスと呼んだのです。[*9]

ボニーによるシチズン・サイエンスの定義は、科学者がボランティアを組織し、明確な実施手順を示し、市民が収集したデータを科学者が検証しながら、一緒にサイエンスを推進していくというものでした。同時期に社会学者であるアラン・アーウィンは「科学の民主化」という文脈でシチズン・サイエンスという言葉を使い始めました。[*10]

そして、この意味でのシチズン・サイエンスは、二〇〇〇年代以降、市民が気軽に利用できる技術が進展し、市民によるデータ収集が容易になったことで、大きく拡大していきました。スマートフォンのアプリ、小型で使いやすいセンサーやガジェットがどんどん普及しています。たとえば手のひらサイズでＰＭ２・５を測定できるようなセンサーもある。計測したデータをほかの人たちと共有できるプラットフォームも充実してきているため、市民がデータを手軽にアップロードし共有できるわけです。

こうした市民ボランティアの協力によって、大量のデータを広範囲にわたって取得することができる。データが多ければ多いほど、精度の高い分析が可能になります。二〇二〇年代以降、シチズン・サイエンスは世界的に広がりを見せました。シチズン・サイエンス協会が欧州、オーストラリア、アメリカで設立され、アジアにも「CitizenScience.Asia」という団体があります。そして、各国政府やEU、さらには大学などの研究機関もシチズン・サイエンスを盛んに推奨するようになりました。

たとえば、アメリカでは「citizenscience.gov」という政府のホームページが「クラウド・ソーシングと市民科学を行政でより拡大するため」に立ち上げられました。市民科学のための学術誌も発刊され、学者はもちろん市民団体も活発に投稿しています。

とはいえ、ボランティアが取るデータは質が低いのではないかという批判もあります。たとえば市民放射能測定所が取ったデータに対しても、揶揄や中傷が少なからずありました。しかし、ボランティアの人たちもトレーニングによって、スキルはどんどんレベルアップします。また、市民科学のなかでどうすればデータの質を向上させて専門家並みにできるかという研究も積み上がってきています（こうした研究では、たとえばボランティアのリクルーティング方法やトレーニングの仕方などがさまざまに議論されているのです）。

▼科学をオープンなものにする

シチズン・サイエンスは、市民が科学者に「問い」を投げかけ、どのようなイノベーションに資金を提供するかについても発言する機会を持つ、開かれた科学（オープン・サイエンス）をめざすべきだという考えの広まりにも後押しされています。

市民の声が科学の専門家に届くようになれば、市民の科学に対する意識も高まり、科学リテラシーが向上するというよい循環も生まれていきます。そして、科学は市民に開かれたものであるべきだ、社会に貢献するべきだという意識は、学術の世界のなかで、急速に高まってきています。

たとえば、アメリカでは科学者が研究資金を調達しようとさまざまな団体に申請をする場合、市民がその研究にいかに関与するのか、という点を問われます。研究者が国立科学財団に助成金の申請をする場合も、いかに社会に貢献するのかということも詳しく書かねばなりません。科学をもっとオープンにして、市民の皆さんに活動に入っていただこうという動きが広がっているのです。

科学をオープンなものにしなくてはならない、というこの動きの背景には、科学者という専門家集団に対する市民の不信感への対応という面もあります。

科学には、中立的で偏りのない客観的な事実観察と分析であるというイメージがありますが、フェミニストやポストコロニアルの研究者たちは、そのようなイメージはつくられたものであると主張しています。つまり、実際の現代科学では白人・上流階級・男性・植民地宗主国の人々という偏った視点からプロジェクトの立ち上げ、課題の設定、有用な仮説・データと無駄なものとの判定などがなされていることを批判してきました。[*11—13]

その結果、「先住民の知」や「ローカルな知」というものは実際には有意義なものである可能性があるのに、非科学的であると軽視・無視されてきました。[*14]「科学」「学会」「学術界」という場は階層、性別、セクシャリティー、市民権の有無、人種などで優位にある人々にしか入りづらいものだった、本当には開かれたものではなかったという反省が市民科学への期待に反映されています。

こうした市民科学の動向や意義を考えると、今後、ますます市民科学が普及していくことが予想されます。

▼市民科学が自治体を動かす

市民科学が地方自治体を動かしたフランスの最近の例をひとつ見てみましょう。南仏のマルセイユに近いベール潟湖周辺には石油化学工業の工場が立ち並び、喘息《ぜんそく》などの健康被害に住民は苦しんできました。ところが、国や専門家の行った既存の調査ではあたかもまったく被害がないかのようなデータしか出てきませんでした。

調査のやり方に疑問を持つ住民と住民に寄り添う科学者たちが協力し合い、参加型の健康調査をやり直しました。二〇一四年のことです。住民たちはアンケートの質問項目を決めるところから、集まったデータの分析、そして結果の公開まで科学者たちと一緒に行ったのです。もちろん住民の実感通りに、健康被害はありました。喘息だけでなく、癌の発生率が高いことも判明しました。その結果、メディアもこの公害問題と健康被害を大きく取り上げるようになり、データに突き動かされた市長や自治体も一緒になって、国や県による厳しい環境規制と、汚染施設の敷地拡大に反対する運動につながっていったのです。

社会学者のバーバラ・アレンは、次のように報告しています。

専門的な「上からの」科学と（住民の）身近な知識を組み合わせることで、より客観的で意味のあるヘルス・サイエンスを作ることができる。地元住民が質問を考え、証拠を集め、データを分析し、調査結果をアクティブに拡散することは、堅実で意味のある科学を創造しているのだ。[*15]

しっかりしたデータを住民が出すことが首長を動かす、「自治」につながるというよい事例です。

ただし、市民科学はデータの取得のみならず、いわゆるソーシャル・キャピタル（社会関係資本）――市民の横のつながり、信頼関係、リーダーシップの向上にも役立つという点を強調しておきたいところです。ソーシャル・キャピタルは「自治」にとって重要な基盤だからです。

市民科学が活発になると、市民同士のつながりも深まり、市民がリーダーシップを発揮する機会も増えます。また、政策プロセスへの参加意欲も高まります。したがって単に科学的データが拡充するだけでなく、「自治」の礎《いしずえ》となるような市民間の連帯やつながりを深めていく効果があるわけです。

▼新自由主義とのジレンマ①——「科学の民営化」でいいのか？

この南仏のケースからもわかるように、市民科学には「自治」にポジティブに寄与する面が大きくあります。しかしながら、その一方で、自治的な取り組みと逆行するような、構造的なジレンマも抱え込んでいます。「自治」のために市民科学を取り入れようとするならば、その限界や陥りがちなジレンマも知っておく必要があるでしょう。

まず、最初にあげたいのは、市民科学が新自由主義の緊縮財政的な側面を補完することになってしまうというジレンマです。たとえば科学史家のフィリップ・ミロウスキは、市民科学は新自由主義の影響を受けた、「科学の民営化」の一環だと批判し、市民科学の普及に反対しています。[*16]

ミロウスキいわく、新自由主義のもとで科学への公的な助成が減少している。そのせいで、研究者たちは自ら私企業や財団から資金を調達しなければならないというプレッシャーにさらされ、それでも資金は不足し、ボランティアに頼らざるをえなくなっている。だからこそ、市民科学が脚光を浴びているのだというのです。

実際、私が知る範囲でも、彼が指摘しているような状況は確かにあり、市民科学の経済的なメリットを論じ、過剰に期待するような論文も散見されます。たとえば、市民科学が何万ドル分の貢献をしているといった記述です。

しかし市民としては、たまったものではありません。必要なデータを取って環境問題に貢献したいからボランティアに参加しても、それが研究費削減を補完することになってしまう。結果、新自由主義的な科学政策が温存されてしまうというジレンマがあるわけです。

▼新自由主義とのジレンマ②——「自己責任」論が強化されてしまう

新自由主義との関連では、別種のジレンマもあります。それは、知る権利の拡大と自己責任論とのあいだで生じるジレンマです。

市民の側からすれば、市民科学への参画は、知る権利の拡大、あるいは能力や知識の向上による自立の促進ととらえることができます。確かに自分の身のまわりのデータを取ってくるというのは面白いし、楽しい。知的好奇心が刺激され、自分や周囲のことをもっと知っていきたいということが動機づけになります。

けれどもその一方で、そのように肯定的にとらえられる自立は、個人が健康と環境について自分で把握して、リスクを減らすべしという新自由主義的な自己責任論と紙一重のところがあります。

この一例としてあげられるのが、原発事故の後に福島県で配布された個人外部被曝線量計バッジです。政府は当初、市民が個々に被曝量のデータを取ることに懐疑的でした。しかし国は、復興を唱えるようになるにつれて、個人による放射能測定を推奨する方向へと移っていきました。

そこで起きたのは、自治体などが個人に行動記録をつけることを推奨していく傾向でした。たとえば一週間後に被曝線量のデータが出たら、それと行動記録を照らし合わせて、自分のどの行動がリスキーかを確認させ、リスクの高い行動を自分で減らすことによって被曝を抑えましょうと呼びかけたわけです。

このような取り組みは、データの信頼性という面で多くの批判の声があがりました。個人線量計がどれぐらい正確に測定できるのか、当初から非常に問題視されていました。さらに、個人による被曝管理を強いることで、原発で利益を得ている事業者と国が負うはずの、被曝をさせない義務が非常に曖昧になっていきます。このような被曝の自己管理化のケースは、日本だけではなく、より大きな原発推進政策のなかで国際的に広がっているという現状があります。

個人でデータを取り、自分のことや周りの環境について知るのは「知る権利の拡大」に感じられる。しかし、それが健康や環境問題の要因の公共性を無視し、個人に自己責任を押しつけるような形にスライドしてしまうこともある。これが、市民科学と新自由主義のあいだで起こるふたつめのジレンマです。

本章の冒頭で述べた食品の市民放射能測定所でも、まったく同じことが言えます。測定に必要なお金や、時間の余裕がない人が取りこぼされないようにするにはどうしたらよいのか。自分や家族の健康を守るために食品の汚染を測定するという行為をうまく社会化できなければ、安全な食品を選べても、選べなくても、それは自己責任だという話に取り込まれていってしまいます。

ここで述べてきたような新自由主義とのジレンマは、市民科学に限られるものではなく、自治的な運動や取り組み一般にも言えることかもしれません。というのも、自治的な運動には行政や自治体ではカバーできないような社会問題を、自分たちで解決していこうという側面が強くあるからです。ところが、自分たちの問題を自分たちで解決したり運営したりする運動が、結果的に公的な制度の不足を補完する役割を押しつけられるだけになってしまう。あるいは、自己責任の論理に回収されてしまう。市民科学もまた、その例外ではありません。

▼科学主義とのジレンマ①——脱政治化の罠

続けて考えてみたいのが、市民科学が陥りがちな科学主義とのジレンマです。

ここでいう科学主義とは、本来、多層的であるはずの事象を科学だけで解決できるかのように矮小化《わいしょう》することを言います。実際、多くの環境問題や健康問題について、科学が最後のひとことを言える権威であるという見方は根強いのです。

科学的な知見やデータはもちろん重要です。それがわかっているからこそ、市民がデータを取るようになって、市民科学が活発になっていったわけです。しかしデータが大事だという考えに執着しすぎると、「データ・トレッドミル」に陥る可能性が高いのです。

トレッドミルとはランニングマシンのことで、ベルトコンベアーがどんどん回っていますので一回走り始めると立ち止まるのが難しく、止まると転んでしまいます。そのように、いったん始めてしまうと見直しづらく、同じ方向に加速していくようなトレッドミルのイメージにもとづいたデータ・トレッドミルという概念があるのです。一定のデータを取ることばかりに夢中になる状態と言ってもよいでしょう。[*17]

たとえば、市民が水の汚染問題を取り上げるとしましょう。ある水質汚染物質に絞ってデータをいざ取り始めると、ここも取りたい、もっと細かく知りたい、この汚染物質についても調べたいという具合に、データ量の拡大やデータの精緻化に力を注ぐあまり、データを取り始めるきっかけとなった社会運動の活動がおろそかになったり、運動に関わる人が疲弊して活力を失ったりするわけです。

私も執筆している *Science by the People* という共著のなかで、アビー・キンチーは、シェール・ガス開発に反対する市民たちの参加型科学について調べています。[*18] シェール・ガスの採掘は多大な環境破壊を引き起こすためアメリカ中でシェール・ガス反対運動が起こっていますが、キンチーらの調査によると、市民団体は反対運動や抗議運動をするよりも、科学をすること、データをしっかり取ることを主張するといいます。将来、シェール・ガス開発から環境が悪化した時に、しっかり批判できるようにしておきたい。そのためには、ベースとなるデータを整備することが重要だというわけです。

その主張もわからなくはないのです。しかし、もともとは現在進んでいるシェール・ガス開発に反対するためにデータを取り始めたのに、データ取得のために反対運動がおろそかになる。

データを政治の問題につなぐことができない。こういう脱政治化を招く、皮肉な構造が生まれてしまっているとキンチーは指摘します。

政治問題にしづらいという現象は、違った形ですが、日本の市民測定所のあいだでも起きていました。この背景には政治・市民活動を異端視する言説が、特に一九六〇年代以降、執拗《しつよう》に再生産されてきたことが影響しています。

政治的なことに関わると「普通の市民」という立ち位置を失い、強烈な社会的制裁を受けることになります。さらに女性は「科学音痴」で「ヒステリー」だと非難される。その典型例が市民測定所に関わる女性への非難、つまり「食品の汚染を心配するのは、放射脳ママの過剰反応だ」という声でした。このどちらの言説も女性に対する蔑視的なステレオタイプに根ざしていると言えるでしょう。

そうした非難を避けるために、「感情的ではない」「政治的ではない」データ収集という科学に専念をしなければならなくなる。ここにも市民科学と「自治」を考える時の矛盾が集積しています。

国家と巨大な企業の責任を問い、情報公開を求め、民主的な意思決定を要求することは「政治的」であり、これは「普通の市民」がすることではないという言説の根強さがわかります。

▼科学主義とのジレンマ②——データ化できないものの周縁化

さらに科学主義のもうひとつの落とし穴として、数値化やデータ化できない事象が周縁化されていく点があげられます。
たとえば、シェール・ガス開発による環境被害は、多くの場合、貧困にあえいでいる農村部や人種差別に悩んでいる地区で起きています。周縁的なコミュニティほど汚染産業が集まりやすいことを「環境の不正義」(environmental injustice)と呼びますが、その問題が根底にあります。
現に、そういった地域の貧困や人種差別に関する情報は、市民科学のデータの範疇《はんちゅう》に入れないことが多くあります。取得するのが、ベースラインとなるような汚染物質に特化したデータだけとなると、貧困問題や人種問題は蚊帳《かや》の外に置かれてしまうのです。[*19]
またそれ以前に、市民科学はボランティア活動なので、必要なところに市民科学が立ち上がるかどうかは保証できません。ですから、たとえば汚染がひどい地域で、市民科学を立ち上げられるだけの時間と資金とネットワークのある市民がいるかどうかは定かではありません。
実際に市民科学に参加する人たちの属性がどうかというと、さまざまな調査がありますが、少なくともアメリカの場合、一般的には社会階層的に上位にいる参加者が多い傾向があります。たとえば環境系の市民科学を調査したチャーリー・ブレークらによると、参加者は教育程度が高く、富裕な、白人が多く、環境正義とは関係が薄い項目がデータ収集の対象であることが多かったという結論に至っています。[*20]
サイエンス・コミュニケーション学者のブルース・レウェンスタインは「市民関与のツールとシチズン・サイエンスは、科学にとって脅威である不平等を是正するものとして推奨されているが、そのような不平等をより悪化させてしまう可能性がある」とさえ述べています。[*21]
これを逆に考えれば、市民科学のデータ調査では、こうした不平等によるギャップをある程度予測しなければならないということです。そこに無自覚でいると、ある地域では潤沢なデータがあるのに、別の地域では貧弱なデータしかないといったデータ格差が発生しやすくなってしまうわけです。
環境正義の調査が示すように環境汚染などにさらされるのは、所得が低く、雇用機会の少ない、時間的にも社会活動的にも余裕がない人々が住むエリアであることが多いのですが、逆説的に、そうしたエリアでのデータがむしろ不足するような状況になりかねません。

▼「つくられた無知」

さらに複雑なのは、権力者側はデータ操作に長《た》けているので、意図的に「無知」や「不確実性」がつくられやすいという問題です。地球温暖化や喫煙の害に関する論争で話題になった「つくられた無知」「つくられた不確実性」という言葉をご存じでしょうか。

汚染企業側が自分に都合の悪いデータから目をそらさせるように、データ・科学者叩《たた》きをする。また汚染者側に都合のよいデータが見当たらないなら、「都合の悪いデータが一〇〇％ではない」と主張しうるデータをひねり出してくる。

具体的に説明しましょう。たとえば地球温暖化が人間活動に由来し、環境に悪影響をおよぼしているというのは九九％の科学者が合意するところですが、わずかでも違うデータを提出することによって、「地球温暖化が確実に起きているわけではない」「さらなる調査が必要だ」という論調をつくり出すのは可能です。

あるいは、自分たちに不都合な問題に対して科学のメスが入らないように、味方となるような科学者だけに資金援助をするというやり口もよくあります。温暖化や喫煙について、石油産業やタバコ業界がそういう操作をしてきた経緯があるわけです。

通常、無知や不確実性というのは知識やデータが不足しているために存在する状態だと考えます。しかし知らないこと、結論が出せないことが権力者側に都合がよいならば、その社会的・政治的な原因を考える必要があります。*22〜24

市民側が提出したデータに対して、権力者側が実は信ぴょう性に欠ける違ったデータを対置して、市民側の主張を認めず、ずるずると結論を先延ばしにするという手法はしばしば見られるものです。

ですから、なおさら市民科学者たちはデータで勝負をしようと思うわけですが、権力者側がいろんな手口を使って無知や不確実性をつくり出すような状況では、「このデータにもとづけば、こうです」と言い切れる形にはなかなかなりません。言い切れないので、さらにデータ・トレッドミルにはまっていき、市民側のリソースと時間が奪われていってしまうのです。

▼データ・ポリティクス——データは誰のものなのか

自治的な市民科学を考えるうえでは、新自由主義を補完してしまうジレンマや科学主義のジレンマに陥らないような道筋を構想することが求められます。

　はたして、それはどのように構想できるのか。その準備として、まずは市民科学が直面するデータ・ポリティクス、すなわちデータの政治性という問題を考えてみることにしましょう。

　データというものは、現実をそのまま反映しているものではなく、そこにさまざまな思惑が入り込むものです。ですから市民には、どのデータを取るのか、取ってきたデータをどうするのかという点についての熟慮が必要とされます。

　まず、データにはミクロなデータとマクロなデータというスケールの問題があります。市民科学には、一人ひとりの個人がデータを取るので、きめが細かく解像度の高いデータが取れる強みがあるとよく言われます。つまり、ミクロなデータ収集に向いています。たとえば市民が空気中の放射能を測定しようとすれば、自宅のなか、あるいは庭のさまざまな場所で測定するため、非常にきめの細かいデータが取れるわけです。

　ただ、ミクロなレベルのデータだけで話が終わってしまうと、マクロなトレンドが見えづらくなるという問題があります。マクロなトレンドを見るためには、満遍なくデータを取ることが必要です。しかし、そこに個人のプライバシーの問題が関わってきます。

　たとえば市民放射能測定所では、Aさんがリンゴを持ち込んで放射能を測ってもらうと、そのデータはAさんのものになる。この場合、Aさんの許可がないとデータをシェアできないというケースがけっこう多いのです。また、自分の家の土壌を測った場合、不動産価格の低下や風評被害を恐れて、データを一切シェアしないという人もいます。データをシェアする場合でも、測定所のメンバーだけに限られるというケースもよくありました。

こういったプライバシーの問題でデータの共有が滞ると、大きなトレンドを取り出すことが難しくなります。そして大きなトレンドがわからないと、汚染の社会構造的な要因も見えなくなってしまう。このようにミクロのデータからマクロなデータへといかに架橋するかが、データ・ポリティクスの重要な論点になっているのです。

この問題とも関連しますが、データの所有権もデータ・ポリティクスを議論するうえで欠かせない論点です。データの所有権は、とりわけヘルス系の市民科学で大きな問題になります。というのも、ヘルスデータは市場で売り買いされやすいからです。

「23andMe」というバイオ企業では、顧客が唾液を提供すると、遺伝的な傾向や病気に関する遺伝子診断をしてくれます。現在三万人の顧客がいますが、注目したいのは「CureTogether」という非営利の患者団体を買収して傘下に置いていることです。「CureTogether」はパーキンソン病や鬱、不眠など、さまざまな病気や症状ごとに患者が経験を共有し合う団体でした。同じく非営利団体であった「PatientsLikeMe」も企業に買収されて、企業は患者間でシェアしたデータを売り、利益を得ています。[*25] このような事態は、遺伝子プロファイリングによる職業差別の問題やプラット・フォームによる監視資本主義の問題とも関連してきます。

ですから、計測したデータを誰のものにするのか、あるいはそのデータで、誰が得をするのか、ということを熟慮することが大切です。

▼争点隠しの手段に使われる可能性

さらに、市民がデータを取得することによって、市民のまなざしや争点を誘導する力が働きやすいこともわかっています。

私も共著者として執筆した論文からふたつの事例を紹介します。[*26] ひとつは、遺伝子組み換えの作物を野生生物が食べるかどうかを調べる市民科学の例です。

以前、野生動物は遺伝子組み換え作物を食べないという噂《うわさ》がインターネットで広がりました。そこでバイオテック企業との関係が強い「Biology Fortified」という非営利団体が、それを確かめるような調査を市民科学として立ち上げたのです。

具体的には、遺伝子組み換えと非組み換えのトウモロコシふたつが、一般市民である参加者に送られてきます。参加者はそれを屋外に置いて、リスのような野生動物がどちらを食べているかを撮影します。主催団体はそのデータを集めて、野生動物は遺伝子組み換え作物を食べないのかどうかを検証するわけです。これだけ聞くと、この市民のリサーチに特に問題点はないように思えます。

しかし、このリサーチは本当の争点を隠し、問題を矮小化しているのではないでしょうか。もともと遺伝子組み換え作物の問題では多国籍企業による種子の支配、農薬との抱き合わせ販売による農薬の使用の増加、それによる健康と環境への被害といったことが中心論点となっています。しかしこの「Biology Fortified」の参加型科学は、そういった中心的な争点を無視して、リスは遺伝子組み換えトウモロコシを食べるのかどうかという問題だけに狭小化してしまっているわけです。

この市民科学の調査は、リスも食べているから遺伝子組み換え作物は安全であり、それに反対している人は非科学的であるという印象操作や争点のすり替えを行っているように思えます。

しかも、この調査は三年以上前に実施され、当初は調査結果を論文にまとめ学術誌で発表するという話であったにもかかわらず、現在に至るまでそれが発表された形跡はありません。だとすると、やはりこの調査は、争点をすり替えて、市民のまなざしの向きを変えることが本来の目的であって、データを集めることが目的ではなかったのではないかと疑わざるをえません。

もうひとつ、この論文の共著者のサラ・ブラッカーが研究している事例も紹介しておきましょう。「NatureLynx」というアプリがあります。これは、カナダ・アルバータ州の市民に向けたアプリで、野生動物を見つけたら写真を撮り、位置情報をつけてアップロードするというものです。このアプリは生物の多様性を市民科学によって発見できるというのが謳《うた》い文句です。自分が出会った野生動物の写真を公開していくサイトは、楽しいゲームのようでもあり、洗練されたサイトは、ソーシャル・メディアのような雰囲気もあります。

しかし、このアルバータ生物多様性モニタリング研究所の背景を調べてみると、驚くべき事実が発覚しました。地元の石油業界が非常に密接に関わっているのです。理事会メンバーには石油業界から二人が入っていますし、石油業界から資金やスタッフも提供されています。

なぜ石油業界がバックになって、このような市民科学を組織するのでしょうか。アルバータ州は、カナダのなかでもシェール・ガス開発が大きな問題になっている地域で、石油業界は多くの批判にさらされています。そこで、市民から野生動物の写真を募り、開発が進んでもアルバータ州には豊かな生物多様性が残っているという印象を与えようとしているわけです。

市民は市民で、野生動物の写真を撮ろうとすることで、環境悪化の問題に意識を向けることがなくなっていくかもしれません。その意味でデータは、地元の市民のまなざしをも一定方向に向けさせる装置の役割を果たしているわけです。

今あげたふたつの例は、企業や業界団体が関与しているわかりやすいものですが、どんなデータを取るにしても、ひとつのデータを取るということは、ほかのデータを取らないということをも意味します。ですからデータには原理的に、市民のまなざしを誘導したり、一定方向に向けさせる機能がある。データ・ポリティクスを考えるうえで、忘れてはいけない視点です。

▼市民か、それとも活動家か――境界線の引き方

次に考えてみたいのは、社会運動と市民科学との関係性についてです。一見、両者は親和性が高いように見えます。実際、社会運動の活動家たちが市民科学を使ってきた例はたくさんあります。

先述したラブキャナル事件がその典型ですが、それ以外にも、農薬規制運動の一環として農薬の飛散状況を調査したり、大気汚染に反対する市民グループが大気中の有害物質を測定したりと、さまざまな市民運動団体が市民科学を使って運動を展開してきました。

しかし、市民科学を用いた社会運動や市民運動が挫折を余儀なくされるケースもしばしば報告されています。

たとえば科学技術社会学者のグウェン・オティンガーは、ルイジアナ州にある製油所の大気汚染を懸念する市民のモニタリングについて報告しています。企業は市民側に対話を呼びかけ、実際に議論をすることになりました。ところが、企業側は「対話」「社会的責任」「持続可能性」など、市民団体と似たような語彙を駆使し、同じ目標を持っていることを強調しながら、結局は、企業側だけが専門家であるという立場を崩しませんでした。データの話になると、専門家が市民よりも発言権が強くなるわけです。市民には粛々とした「対話への参加」が求められるだけだったといいます。[*27]

この例からわかるように、やはり専門家や企業によって社会運動は挫《くじ》かれることもしばしばあるわけです。

これらの例に関連して、私自身は、社会運動が市民科学を使う場合、「線引き」(boundary drawing) という問題があることを指摘してきました。線引きとは、もともと、トーマス・ガーレンが提唱した概念で、科学者たちが科学の権威を維持するために、科学と政治のあいだの線引きをしっかりしなければならない、両者を混ぜてはならないという規範を意味する概念でした。[*28]

一般の市民が科学に関わる場合でも、すなわち市民科学の場面でも、境界線を引かざるをえない状況に直面することが頻繁にあるのです。

市民がデータを取ってきた時に、自分たちのそのデータの正当性や権威性を守ることは非常に重要です。先ほど見たように、科学者や企業、国家は、専門性や組織の権威を盾にして素人の取ったデータの信頼性を打ち消そうとする。ですから、市民科学においてデータの正当性を担保するのは非常に難しいわけです。

だからこそ、データの正当性を守るために、政治的な活動をしないという選択を迫られる局面が出てきます。「政治的な活動をするとデータに色がつく」というのは、放射能測定でもよく言われたことです。

繰り返しになりますが、やはりジェンダーの観点も非常に大事です。というのは、女性は感情的で、科学やテクノロジーのことがよくわからないという性差別的なステレオタイプは今も根強くあるからです。先述したように、実際、3・11後の日本でもそういった言説は非常に強かった。性差別的なステレオタイプを否定するためにも、女性が環境や健康被害について何かを言いたい時には、科学に依拠し、またその正当性を担保することが重要になってくるわけです。

女性であるがゆえに、科学なのか、社会運動なのかの境界線引きを強く意識せざるをえない状況を、私は「gendered scientization」という概念を使って表現したことがあります。その論文には女性の市民科学者へのインタビューも掲載しています。彼女たちは「データを使って淡々と」「シュプレヒコールをあげることなく粛々と」市民科学をやっていきたいと語っています。[*29]

市民科学者は活動家や運動家になってはいけないという縛りがかかることによって、政治的な動きをするのが難しい状況に置かれやすい。これも、市民科学を「自治」の道具として磨いていくために考えておきたい問題です。

▼データの公共性を大事にする

社会運動が市民科学を使って専門家や企業と対峙するためには、データの正当性を担保しなければならない。一方で、データの正当性を担保するには、政治とのあいだに境界線を引かなくてはいけない。しかし、多くの環境問題や健康被害問題には社会・政治・経済的な権力構造が根深くつながっているため、政治的な揺さぶりが根本的解決には必要です。

では、ここまで見てきたようなさまざまなジレンマを乗り越えるために、市民科学をどのように構想していけばいいでしょうか。

まず経済的な側面として、科学も公共財であると認め、きちんと助成することが必要です。新自由主義的な自己責任論のもとで、ボランティアやクラウド・ソーシング、寄付金に頼るだけでは、科学は疲弊してしまいます。科学が健全に運営されるためには、公的な、ひも付きでない助成が必要であることを、市民側からも言い続けていかなければなりません。

新自由主義の論理に回収されないためには、市民科学は公的なモニタリングの代替をしてはいけないという点も強調しておきたいと思います。公的なモニタリングに対しては、市民科学はウォッチ・ドッグであるべきです。

たとえば東京オリンピックを控えて、福島では放射線モニタリングポストを撤去しようとしましたが、市民放射能測定所を含めて多くの市民団体がこれに反対しました。このような働きかけの意義は、データの取得を自己責任にしないこと、すなわちマクロ・レベルでのデータを公的な責任として取り続けさせることにあります。

▼社会運動としての市民科学を

そして、より積極的に、社会運動としての市民科学を展開するにはどうすればよいのでしょうか。

科学者の議論の中では、市民科学は、データを広く収集するための単なるツールとして考えられがちです。先述したように、アメリカのシチズン・サイエンスについての言説には市民科学のデータ収集力を強調し、これこそがシチズン・サイエンスだと定義するような傾向がありました。

しかし、むしろ私は、市民科学を「社会運動のレパートリー」のひとつとして位置づけたいと考えています。

たとえば、社会運動論では社会運動がどのような活動をするかという選択肢をレパートリーと呼び、それぞれの運動でどのようなアクションがとられ、それがどの程度効果的なのかということを検討してきました。[*30] レパートリーにもいろいろありますが、「自制的なアクション」(contained actions) と「撹乱的なアクション」(disruptive actions) に区分して考えてみましょう。

社会運動が前進するためには、署名集めのような控えめで自制的なアクションだけではなく、世論の注目を集め、争点化していく攪乱的なアクション、つまりデモなどを伴うことが必要だとよく言われます。[*31]

市民科学は、相対的には自制的なアクションの性格が強いものです。ですから、市民科学単独で考えるのではなく、それをほかの社会運動のレパートリーと組み合わせていくことが、社会運動を前に進める推進力をつくり出すのではないでしょうか。

たとえば、前述した南仏で環境基準の規制強化を獲得した事例ですが、その成功の裏には、データを集めて分析することと同時並行で、さまざまな政治的キャンペーンがくり広げられたこともあるのではないでしょうか。プロジェクトについてメディアに大々的に取り上げてもらうようにするために、極めて機敏な政治活動のアクションがあったのです。つまり、自制的なデータ収集と攪乱的なアクションが組み合わされていました。

もうひとつの例をあげましょう。蜂群崩壊症候群という、飼育していた蜜蜂が大量に死んでしまう現象が世界的に問題になっています。その原因がネオニコチノイド系の農薬ではないかという疑いが出たので、養蜂家と市民が立ち上がって運動を展開しました。

この市民運動について、フランスとアメリカを比較した研究があります。[*32]その研究によれば、フランスでもアメリカでも、市民がデータを取っていた。でも実際に有効な農薬規制につながったのは、アメリカではなくてフランスであった。両国で何が違ったのかというと、フランスは市民科学という自制的なアクションだけではなくて、デモや座り込みのような攪乱的なアクションも並行して実行したので、意義のある規制につながったとこの研究は分析しています。

これは一例にすぎませんが、市民科学とほかの社会運動のレパートリーをどのように組み合わせれば、運動をより前進させることができるのかという問題意識は、これからの市民科学に必要とされるものだと思います。

▼「リテラシー」と「データ」の意味を広くとらえる

同時に、市民科学の射程を広げていくことも必要です。このことを「リテラシー」と「データ」という点から考えてみましょう。

これも先述したことですが、「市民科学は、一般人の科学リテラシーを高める」と宣伝されることがよくあります。[*33] しかしながら、私が考えるのは、ここで言うリテラシーをさらに広くとらえるべきだということです。つまり、市民科学は、科学リテラシーだけではなく、政治的リテラシーや歴史的リテラシー、文化的リテラシーも高めると考えたいのです。

たとえば私が聞き取り調査を行った市民放射能測定所のなかでも、活発なグループは、食品の汚染度の測定だけではなく、映画上映や講演会、座談会などを開催していました。放射能汚染の度合いを科学的に測ることだけではなくて、原発がなぜ日本にあるのか、なぜ一定地域に集中しているのか、ウラン鉱山での採掘から放射性廃棄物の最終処理、原発の廃炉まで考えるとどのような環境不正義があるのか、世界ではどうなっているのかといった知識も高めるような取り組みをしているわけです。

同様に、「市民科学はデータを増やす」とよく言われます。データというと、科学的データや数値化できるデータに限定されている場合が多いのですが、データをもっと広義にとらえることが必要なのです。

たとえば先述のサラ・ブラッカーは、アルバータ州の先住民族が取り組んだ市民科学について興味深い報告をしています。先住民たちは大学のエキスパートと協力して市民科学を始めて、ビーバー肉のヒ素含有量のような科学的データを提出しているのですが、それらのデータとともに「ビーバーの肉の味が変わってしまった。昔のように味が濃くないし、色も赤くない」といった長老たちのオーラル・ヒストリーによるナラティブも同列に重要なデータとして扱っているのです。[*34]

このように、科学的データ・数量データのみならず、ナラティブもまた質的なデータとして同列に考えていくような「データの広義化」は、科学主義にありがちなデータの数値化や矮小化への対抗であり、問題を社会に対して多面的に提示していく方法になりえるものです。

▼「場」をつくる市民科学

市民科学の意義それ自体の再定義をしていくことも重要でしょう。

現在のアメリカで市民科学というと、市民たちが自発的にデータを取ることだというイメージが先行しがちです。でもそれだけでは、精緻なデータを取ることが自己目的化して、先述したデータ・トレッドミルに陥りやすくなってしまいます。

ポイントはデータを取ることを目的にしない、それより先に運動があり、訴えたいテーマがある、ということです。自分たちが訴えたい主張をサポートするための、たくさんある道具のなかのひとつとして科学的データをとらえていくべきなのでしょう。そうでなければ、先に述べたように一定の科学的データという狭い土俵で、リソースの多い権力者を相手に不利な戦いを強いられる外部的要因が強く働きます。「自治」の道具のひとつとして市民科学を使うという意識を強く持つことをおすすめしたいと思います。

そして、データを取るという行為は大勢の人が関わる場所づくりにもつながっていきます。運動体の内部、そしてほかの団体との信頼関係の醸成の場、情報共有の場として市民科学をとらえていくべきではないでしょうか。

日本の事例をひとつあげましょう。遺伝子組み換えの菜種《なたね》の追跡調査です。日本は食用油の原料として菜種を輸入していますが、その多くが遺伝子組み換えです。菜種は粒が細かいため、運送の際に道路にこぼれ落ちてしまう。そうすると各地の道路や港で、その菜種が自生・交雑するのです。そこで市民団体や生協のメンバーが道路を歩きながら、菜種らしきものを見つけたら引き抜いて検査をし、どれぐらい交雑しているかを調べるわけです。

こうした調査を全国で実施し、毎年報告会を開催して意見交換や情報共有をする。そして行政への働きかけをするのです。[*35]

この件については、残念ながら行政のほうで目立った大きな動きがあるわけではありません。それでも、この市民科学のグループが長く存続している理由は、「場づくり」にあると考えています。私は、この市民科学のグループの全国集会に参加したことがあります。そこでは、各地のさまざまな人たちが集まって毎年、調査結果を発表しています。なぜそんなに長く続いているのかと考えた時、これはお祭りなのだろうと思い至りました。

　実際に活動している人に「これはお祭りですね」と言ったら、怒られてしまうかもしれません。でも祭りというのはコミュニティ意識を醸成し、個人的な記憶を集団的な理解へと変え、私でも公でもない中間的な空間をつくり、周囲に見てもらう共同の企てです[*36・37]。

　そういった社会学的な意義を考慮に入れると市民科学も違った見方ができそうな気がします。祭りは、人と人とのつながりを確認し、信頼関係を育てる機会となり、単発イベントではなく連続性があることを参加者に認識させ、周りの人に見てもらうこともできます。

　大勢がひとつの場に集まれば、よいこと、悪いことを問わず、さまざまな偶然が起きます。そこで生まれたアイディア、エネルギーから新しい運動を育むきっかけが芽生えていくわけです。もちろん、何のためにデータを集めているのかという動機を確認する場でもあり、集めたデータをもとに自分たちの主張を外に伝えていくためのベースキャンプのような場所にもなります。

　これと逆の方向をいく典型が、先に紹介したアルバータ州の野生動物調査のサイトです。一人ひとりが野生動物と出会った時の写真と位置情報を公開するだけでは、横のつながりは生まれません。データをいくら集めても、個人はバラバラのままで組織化されない。

　このサイトのバックに石油企業があったことを考えると、これは企業にとって「おいしい」

仕組みだったと言えます。環境意識の高い人々が、横につながる場を持つことなく、バラバラでいてくれたほうが、企業にとっては「安全」だからです。

まとめましょう。この章では、市民科学が社会にどのような貢献をして、どのようなジレンマに直面しているかをさまざまな角度から整理しました。

市民が健康や環境について自らの手でデータを取り、知識と情報を集めることは大切です。しかし一方で、市民にアウトソースしてしまっているという観点で考えると、学術研究への助成の削減や、行政による網羅的な規制・モニタリングの縮小と共鳴してしまう要素があります。また、自分のことは自分で知り、自分で守ろうという点が強調されれば、新自由主義的人間観を認めることにもなりかねません。これは、自治的な運動や取り組み全般に共通する問題でもあります。

そうならないようにするためには、市民科学者が自らの社会的・歴史的位置を鋭く分析する能力を育むことが重要です。

データはまっさらなものでも、純粋なものでもありません。[*38] 社会問題の定義そのものをつくり替え、人々のまなざしの行方も左右します。市民活動にスティグマがある状態では、市民科学も「科学」の部分だけが独り歩きして「市民」が抜け落ちるかもしれません。

近代科学に限定されない、より包括的な「データ」と「リテラシー」に照準を合わせ、市民科学を連帯と協働の場をつくるための手段として再定義する。それはまた、さまざまな社会運動がめざしていく「自治」のための器を提供するものでもあるはずです。

第五章

精神医療と
その周辺から
「自治」を考える

松本卓也

松本卓也
（精神科医／京都大学大学院人間・環境学研究科准教授）

一九八三年、高知県生まれ。自治医科大学大学院医学研究科博士課程修了。博士（医学）。専門は精神病理学。主な著書に『人はみな妄想する―ジャック・ラカンと鑑別診断の思想』（青土社）、『享楽社会論―現代ラカン派の展開』（人文書院）、『創造と狂気の歴史―プラトンからドゥルーズまで』（講談社選書メチエ）など。

▼息苦しい医療現場

病院が好きという人は、あまり多くはないでしょう。治療や検査で痛い思いをするのが嫌だというだけでなく、医師や看護師のなかにはいまだに命令口調で患者に接する人もいて、そんな環境で自ら積極的に治療を受けようとは思えないというのも無理のないことです。また、誰かに自分の身体や心を治療されるということが、自分の身体や心を支配されることであるとしたら、怖いと思うのも当然でしょう。さらに言えば、ドラマ化もされた小説『白い巨塔』で描かれたような、医師同士の権力闘争が行われている場という大学病院のイメージも、いまだに払拭しきれていないかもしれません。[*1]

そして私が医師として臨床に関わっている精神医療となると、一般の人が抱くイメージには、よけいに「支配」や「強制」という色が残っているかもしれません。

実際、かつての精神医療の現場では、患者も医療従事者たちも、「自治」とは正反対の状態に置かれていました。一九六〇年には、日本医師会の会長が当時の精神病院[*2]の経営を「牧畜業」だと批判したことがあります。[*3]つまり、精神病院の経営者は、牧場と同じように、患者を病院に数多く留め置くことで収入をあげている——当時の精神医療は今とは違って、入院治療がほとんどでした——という意味の発言です。この発言は、患者を治療して退院できるようにするのではなく、長く入院させ続けることで利益をあげるという、実に抑圧的な仕組みが続いていたことを示しています。

時代が下り、一九八三年になっても、看護職員の暴行・虐待によって患者二名が死亡するという痛ましい事件（宇都宮病院事件）がありました。現在の医療制度でも、強制入院、隔離、拘束など、本人が同意していなくても（家族などの同意のもとで）医師の判断で行うことができる処置や治療が存在しています。[*4] また、警察を経て、県知事の権限で入院させる措置入院という制度も存在します。

このような話をすると、精神医療の現場はやはり「自治」とは無縁な分野ではないかと思われるかもしれません。しかし、そうした現場だからこそ、「自治に向かうにはどうすればいいのか？」という問いが、常に実践の問題として立ち上がってくるのです。すでに誰かが決めてしまった仕組みに単に従うのではなく、医師とスタッフが、さらには患者たちが、自分たち自身で決めて精神医療を工夫して運営していくことのなかから、多くの葛藤と新しい試みが生まれました。

精神医療の現場で、「自治」をめざす運動が大きなうねりになったのは、一九六八年以降のことです。フランスの五月革命や日本の全共闘運動など、世界で同時多発的に起こった「六八年」的な社会運動をきっかけに、精神医療の世界でも既存の仕組みに異議を唱える運動が展開されたのです。

ただ、国家や医療システムに代表されるような大きな社会構造に戦いを挑む「六八年」的な運動が成功したのかといえば、決してイエスと言い切ることはできません。しかし、むしろ「六八年」的な運動の後に精神医療の現場で立ち上がってきた「自治」の動きには、ほかの分野の

「自治」についてもヒントになるような非常に重要なものが含まれています。抑圧的な仕組みがいまだ残存するなかで、精神医療の現場にいる人々がその仕組みにどう向き合い、「自治」に向かって歩んできたのか。歴史をひもときながら、そのことを考えてみたいと思います。

▼日本の精神医療の抑圧的な過去

まず、日本の精神医療の歴史を手短に振り返っておきましょう。日本で公的な精神病院ができたのは明治の初期のことで、一八七五年に京都癲狂院《てんきょういん》が設立されたのが最初だとされています。現在の東京大学医学部に精神医学の教室が開設されたのは一八八六年です。

その後も精神病院の数は多くなく、家族が精神疾患を発症した場合、富裕層でなければ患者を入院させることはできませんでした。その結果、自宅のいわば「座敷牢《ざしきろう》」のような一室に閉じ込めることが認められていました。これが一九〇〇年の精神病者監護法によって規定された、私宅監置と呼ばれる措置です。当然ながら、ただ閉じ込めておくだけの私宅監置では、患者に対して十分な治療は行われません。栄養状態も衛生状態も悪くなりがちでした。

やがて戦後の日本の精神医療は、世界一の病床数を持つようになりました。しかし、病床数が増えたということは、必ずしもいいことではありません。反対に、精神病院のなかに患者を隔離収容することが常態化し、患者と社会とのつながりが切断されるようになったのです。

現代では、先述したような精神病院の経営には反省がなされていますが、いまだに精神病院に非常に長いあいだ入院し、退院することができていない患者も大勢います。二〇一七年六月末の厚生労働省による調査では、精神病床のある全国の病院で五〇年以上入院している患者が、少なくとも一七七三人いることが明らかになっています。驚くべきことに、記録上一九二三年から入院を続けていた患者さんまでいたのです。[*5]

二〇二〇年の同じ調査により、約二七万人の入院患者のうち、およそ八％の患者が、隔離や拘束をされていることも判明しました。一割弱くらいの患者が鍵のかかる個室に閉じ込められたり、身体をベルトで縛られたりしているのです。

▼精神医療における「自治」とは何か

こうした精神医療の状況に対して、「自治」をどのように考えればいいでしょうか。

ここで、私が考える「自治」とは何かについて、簡単に説明しておきます。私の考えでは、「自治」とは、誰かが決めた既存の（しばしば抑圧的な）仕組みに服従している状態から脱却し、周りの人々と一緒に相談しながら、その仕組みを自分たち自身のものとしてとらえ、自分たちの手で工夫しながら組み換えていくことを指します。

言い換えれば、既存の仕組みの単なる「受益者」である状態から、その仕組みに自ら関与する「当事者」になり、その「当事者」であるという状態を維持していく不断のプロセスのことを、「自治」と呼びたいのです。

この考えは、フェリックス・ガタリというフランスの精神分析家が言った、「服従集団（隷属集団）」から「主体集団」へ、というスローガンを参考にしています。[*6]

かつての精神医療では、患者も医師もスタッフも、既存の精神医療の仕組みにただ従っているだけの状態であり、他者に主体性を譲渡した「服従集団」という側面を強く持っていました。言い換えれば、そこにおいて患者は精神医療の単なる「受益者」であり、医師やスタッフもまた、その仕組みを利用して生活費を稼ぐ「受益者」であるにすぎません。そして、この「受益者」は、何らかの「利益」を受けながらもその根底において抑圧されているわけです。

そのような状態から抜け出すには、既存の精神医療という仕組みを自明視せず、仕組みを自分たちで工夫して組み換えていくような実践を考えなければなりません。それが、「受益者」ではなく、精神医療の実践それ自体を自主管理する「主体集団」、すなわち「当事者」になるということです。

▼「六八年」の思想と反精神医学

服従集団から主体集団へ、受益者から当事者へ――。こうした転換を考える場合、すぐに思い浮かぶのは一九六〇年代末から七〇年代初頭にかけて先進国で隆盛を極めた「反精神医学」のことです。

反精神医学の考え方は、論者によって少しずつ重点が違ったり、「反精神医学」という言葉をあまり積極的に使おうとしない論者もいたりしたため、要約することが難しいのですが、おおむね次のような主張を持っていたと言えます。

すなわち、精神疾患とは、家族や社会のなかの歪《ゆが》みがひとりの人間の心にあらわれたものであり、必ずしもその「患者」が治療されるべきなのではなく、家族や社会の問題もまた検討されるべきである。このことが理解されずにいると、精神医療は、スケープゴートにされた個人に精神疾患というレッテルを貼り、その個人を隔離・監禁する仕組みになってしまう。だからこそ、隔離・監禁の舞台となっている精神病院を改革したり、廃絶したり、それに代わるオルタナティヴな場所を自主管理的に運営することを通じて、解放の道を探らなければならない、という主張です。

反精神医学は、精神医療の世界で展開された「六八年」の思想であり運動であったと言えるでしょう。この場合、「六八年」というのは、フランスで「五月革命」と呼ばれた、学生運動から始まり国家規模のゼネラル・ストライキに至る運動に代表されるような、既存の社会のあり方に対抗し、新しい社会を生み出そうとする想像力に駆動された運動が世界規模で展開された時代を指しています。精神医療においては、反精神医学やその影響を受けた諸々《もろもろ》の運動が、そのような想像力を持つものであったと言えます。

▼東大闘争(東大紛争)と日本の精神医療改革運動

さて、日本でも、一九六〇年代末から「精神医療改革運動」と呼ばれる運動が展開していきます。

具体的に見ていきましょう。戦後日本では、GHQによって医学部を卒業したばかりの新人医師のためのインターン制度が創設されます。この制度は、一種の徒弟制度のようなもので、給与も支払われず、生活の保障もなく、かといってインターンをしなければ国家試験の受験資格が与えられない、という厳しいものでした。

そこで、戦後の早い時期から、学生や若手医師たちが待遇改善を求める運動を起こします。当初は、経済的な権利獲得、つまりほぼ無給であった新人医師の身分保障と生活保障のためという側面があった運動でしたが、次第にインターン制度の（改善ではなく）廃止を求める「インターン闘争」へと展開していきます。

そのなかで、医局の持つ封建制にも似た上意下達の強烈な権力、管理される側と管理する側の権力の非対称性（ヒエラルキー的な支配構造）へと批判の的は移り、一九六〇年代末にはそのような考えが「医局講座制批判」として展開されるようになります。

そして、若手医師たちは、自分たちが医局講座制によって疎外されているのと同じように、精神病院の患者たちは医療の仕組みそれ自体によって疎外されているのだと認識するようになります。こうして、当時の精神医療の劣悪さが認識され、医局講座制が医療改革を阻害しており、特に精神科医局は精神病院に寄生しつつ、支配しているという批判がなされるようになりました。

一九六八年の東大闘争（東大紛争）は、このような医学部発の流れのなかで起こり、これがいわゆる「東大全共闘」へとつながっていきます。その東大の精神科では、若手医師たちが中心になって医局を「解散」し、東大精神科医師連合（精医連）を結成し、当時病院長になろうとしていた臺《うてな》 弘《ひろし》 教授に不信任を突きつけます。臺弘教授は、かつてロボトミー手術で得た患者の前頭葉組織を使った実験をしていたことがあり、そのことも強く批判されました。

こうして、東大精神科は外来派（教授派）と病棟派（精医連派）に分裂します。そして、病棟派の医師たちは、「病棟自主管理闘争」を始めます。外来派を追い出して、自分たちで病棟を管理し、そのなかでまともな治療を行おうと考えたのです。

この病棟は、治療共同体的に運営され、その後の精神医療改革運動の中心地になっていきました。[*7] 先に紹介した宇都宮病院事件の告発なども、このグループが関わって展開されたものです。

学会でも大きな変化が生じます。一九六九年五月に開かれた日本精神神経学会では、学会のあり方に対する異議申し立てが起こり、予定されていた発表はすべて中止され、代わって討論集会が開かれました。同じ年の日本精神病理・精神療法学会も、討論集会だけが行われ、「研究論文を書くことなど、犯罪的である」という主張とともに、「一〇〇分の一」批判が提出されました。

「一〇〇分の一」批判とは、医師がひとりの患者だけを熱心に治療して研究をすることによって、残りの九九人を鍵のかかった病棟でほったらかしにしている状況を批判したものです。こうした批判を受けて、日本精神病理・精神療法学会の席上において、学会解体宣言が提出されることになります。

以上は一例にすぎませんが、日本では東大闘争や全共闘運動などと同じうねりのなかで精神医療改革運動が展開し、そこでは権威主義的になりがちな医局制度や精神医学・精神医療の仕組みそれ自体への根底的な批判が行われたのです。[*8]

一方、イタリアでは、精神病院を廃絶するまでに至りました。一九七八年に精神病院の廃絶をうたう法律一八〇号、通称バザーリア法が成立したのです。その主導者であるフランコ・バザーリアは、当時の精神病院の劣悪な状況を認識し、病院の開放化や脱施設化を通じて、精神病院の廃絶を主張しました。そして、このバザーリア法によって、イタリアでは公立の精神病院が段階的に廃止されることになりました。

▼「反精神医学」のルーツ、イギリスでの実践

ところで、「反精神医学」という言葉は、イギリスにルーツがあります。この言葉を初めて使ったのはイギリスのデヴィッド・クーパーでした。「反精神医学」は文字通り、伝統的精神医学に対する異議申し立てを示す概念であり、精神疾患、特に統合失調症の実在性を疑い、その疾患概念にもとづいて「患者」とみなされた者を隔離収容するあり方を批判するものでした。

たとえばクーパーは、統合失調症とされた患者をめぐる家族間のコミュニケーションを観察して、スケープゴートを必要とする家族状況から「狂気」が生まれる（家族のなかの歪みが特定のひとりに押しつけられる）と主張しています。「狂気」は、家族状況から生まれる。だとすれば、治療の場所では、医師から患者に診断と治療のまなざしが一方的に向けられるのではなく、相互的な関係のなかで自らの生き方の変革がめざされなければならないということになります。

クーパーと並んで反精神医学の主導者とみなされているのが、同じくイギリスの精神科医であるロナルド・D・レインです。レインは、統合失調症を一種の「旅路」とみなしてそのプロセスの展開を言祝《ことほ》ぎました。旅ですから、いつかは元の場所に戻ってくるわけです。しかも、ただ戻ってくるだけでなく、新しい何かをつかみ取って戻ってくるのです。だからこそ、たとえ強制入院や強制治療が一時的な「解決」になるとしても、そのような「解決」策をとらずに、この「旅路」を完遂させるべきであるとする、レインのこのような考え方は、「統合失調症旅路説」と呼ばれました。

クーパーやレインは、ヒエラルキーを撤廃して、自主管理によって運営される病棟ないしオルタナティヴな場所をつくろうとしました。クーパーは、一九六二年にロンドンの公立病院のなかに「Villa 21」という実験的な病棟を創設します。その三年後の一九六五年に、レインもキングスレー・ホールという施設をつくっています。

しかしどちらの場所も長続きはせず、その理念も十分には実践されていなかったことが後に指摘されています。

自主管理をうたったクーパーの病棟では、「精神科医は自分たちだけで会合を行い、すべての決定を行って」いたとの証言があります。[*9] レインの施設についても、入退院や金銭管理、外部との交流、自殺防止など、「管理の完全さを要求してくる外部（家族、病院管理者、何よりも自己の内にある「良識」等）からの圧力に抗することができずに挫折した」と言われています。[*10]

このように、イギリスでは「反精神医学」の狼煙《のろし》はあがったものの、その実践的な取り組みは必ずしもうまくいったわけではなかったのです。

▼「ふつうの精神科医」の誕生——木村敏

精神医療における「六八年的」な動き、つまり日本の精神医療改革運動や海外の反精神医学は、その後の日本ではどのように受け止められたのでしょうか。

ここでは、その代表として、二〇二一年と二〇二二年に相次いでこの世を去ってしまった、木村敏《びん》と中井久夫を取り上げてみたいと思います。二人は六〇年代末に始まる精神医療改革運動を目の前にして、精神医学・精神医療がそれまで抱えてきた矛盾をもはや無視することができなくなりつつも、それと同時に、精神医学・精神医療をそれでも「軟着陸」させ、立て直さなければならない、という両義的な課題を担った世代に属します。その意味で、彼らはふたりとも「ポスト反精神医学」「ポスト六八年」の世代と言ってもいいでしょう。

先述したように、一九六九年以降、精神医療改革運動によって、日本精神病理・精神療法学会は活動を停止してしまいました。その他の学会でも混乱が続きます。もちろん、当時の精神病院にしばしば見られた劣悪な状況は改善されなければなりません。

しかし、改革運動は、「研究」することそれ自体をも問題視していました。精神医療も精神病院も駄目であり、そもそも精神医学という学問自体も駄目だということになると、自分たちがやっていた仕事すべてを否定することになってしまいます。

そのため、木村たちの世代は、既存の精神医学・精神医療に「ノー」を突きつけた運動のインパクトを否認するのではなく、受け止めたうえで、それでも精神医学・精神医療に対して絞り出すような声で「イエス」と言い、どうにかしてそれらを成立させうる土壌を再整備するという困難な課題に取り組まざるをえなくなったのです。

木村による反精神医学への応答は、『異常の構造』（一九七三年）にみることができます。[*11] 同書において木村は、伝統的精神医学を批判し、統合失調症が「病気」というよりも他人との関係のなかで歪められた「生き方」であると考え、レインに強い親近感を抱いています。しかし同時に、「反精神医学は、自己自身を徹底的に追求すれば、窮極的には反生命の立場に落ち着くよりほかはない」とも述べています。どういうことでしょうか。

その理路はこういうものです。まず、いわゆる「正常者」は「1＝1」という根源的な公式をもとに世界を構成している、と仮定してみます。世界には、「1＝1」のような当たり前の物事があり、どうしてその「1＝1」が成立するのかということを問わないことが「正常」であるとされています。それに対して、統合失調症の患者は「1＝0」という「非合理的」とされる公式からも世界を構成している、と考えるのです。

「正常者」が（残念なことに）統合失調症の患者を差別し、抑圧するようになるのは、「1＝0」を理解できないがゆえのことです。しかし、かといって「1＝0」という公式を「徹底的に追求」するならばどうなるでしょうか。そうすると、「必然的に社会的存在としての人間の解体というところまで到達せざるをえず、したがってまた、個人的生存への意志という、生物体に固有の欲求の否定に到達せざるをえないはず[*12]」だと木村は言います。そのような理由から、「1

＝０」という公式を全面的に支持することはできないというわけです。

もっとも、木村は「１＝１」の当たり前さのうえにあぐらをかいているわけではありません。むしろ、自分が「しょせん『正常人』でしかありえ」ず、それゆえ統合失調症の患者に対しては「罪ほろぼし」の意識を持たざるをえないと述べているのです。

だとすれば、治療者は、自分にとって当たり前の「１＝１」を患者に単に押しつけることはできず、もし患者の生命を守るという大義から「１＝１」を押しつけるとしても、そのたびごとに「罪」の意識を持つ必要があるということになります。このように、木村は、いわば反精神医学を単に否定するのではなく、受け入れたうえで、「生命」という立場から批判しているわけです。

このような木村の態度は、現代にまで続く日本の「ふつうの精神科医」の倫理ともいえます。たとえば、日々の臨床において、「１＝１」という公式に拠《よ》って立つ治療者が日々行っている診断や治療（見立てや介入）が、それとは異なる公式に依拠している（依拠しえる）かもしれない患者の自由を奪うことになっていはしないか、という問い直しは、常になされなければなりません。そのような問い直しがなされていない臨床が、患者のニーズを考慮に入れない独善的な臨床になりうるということについては、多くの人が同意するのではないでしょうか。

こうした木村の問題意識を継承している現代の臨床は、反精神医学の後で可能になった「ポスト反精神医学」的な倫理、あるいは「ポスト六八年」的な倫理を持っていると言うことができるでしょう。

い人物が、中井久夫です。

▼「病棟を耕す」という静かな革命――中井久夫

「ポスト反精神医学」的な臨床のあり方を考えるうえで、木村敏とともに欠かすことのできない人物が、中井久夫です。

中井久夫は、一九五九年に京都大学医学部を卒業後、京大のウイルス研究所で働きながら、楡林《にればやし》達夫のペンネームで執筆した『日本の医者』（一九六三年）のなかで、痛烈な医局講座制批判を行いました。[*13] しかし彼は、先述したような六〇年代末の一連の精神医療改革運動には乗りませんでした。さらに、運動側にシンパシーを持つ「いわゆる「良心的精神科医」に対しては、「うしろめたく思いながら診察したらよくなる患者もよくならんのではないか」と述べたといいます。[*14]「精神医療は悪だ」と思いながら診察していたら、患者もよくならない、というわけです。

ただ、中井は、精神医療改革運動を完全に敵視していたわけではありません。むしろ、そのケア役のように行動していたようです。というのも、当時の精神医療をめぐる運動では、デモの最前線に患者を参加させることがよくあったのですが、デモに参加した翌日に、その患者の症状が悪化してしまうことがありました。

そこで中井は、運動の「その後」を診《み》る医者になります。つまり、デモの翌日に病状が悪化した患者をケアするようになったのです。中井はそのことを、「私はかねがね患者を先頭に立てる運動に批判的であった。その直後の病いの悪化を憂えたのである。私は『翌日の医者』になることにした」と振り返っています。[*15]

そして「翌日の医者」である中井は、患者にとってだけではなく、「革命的」な同僚の精神科医たちの「その後」をもケアすることができたようです。精神医療改革運動のなかで孤立した精神科医は、先鋭化していくなかで自分を見失ってしまうこともあれば、そのなかで依然として精神科医であり続けている自分とのあいだで矛盾を感じることもありました。そういう深刻な矛盾にさいなまれる精神科医たちをケアしたのが中井の理論だったわけです。同じく精神科医の三脇康生は、中井自身は一切の党派に属さなかったけれども、「医局をともにする感覚」を彼らに与えたと評しています。[*16]

それは、中井が医局講座制を鋭く批判したけれども、精神科医としては医局講座制の解体を主張することはなかったこととも関連しているように思えます。次の一節は、医局講座制批判の最中で発表された「抵抗的医師とは何か」（一九六三〜一九六五年）からのものです。

> 「医局」がどういうものであろうとも、わが国の近代医療技術を全国の医局がにぎっている限り、プロメテウスが天上の火をぬすんで人間にあたえたように、われわれは、近代医療技術をそこから汲みとり、ぬすみとり、みずからのものとしなければならないのです。（中略）あなたの手もとにある小さな権力を、英知をもって使えば、いくつかのことができると思います。その権力は「医局」に由来するものだから、さしあたってあなたは「医局」の論理にしたがって動くことになるが、使えるものは何を使っても、武器である限りは、

かまわないのであり、ただ、あなたへの心理的反作用をおそれればよいのです。[*17]

つまり、現状は医局が近代医療技術を握っているのだから、（医局を解体するというよりも）医局から技術を盗んで、自分の技にして、ちょっとでもましに使えるように知恵を絞らなければならない、というわけです。中井は実際、神戸大学の精神神経科教授を務めた時代に、自分が「大きくない手中の権力を活用することに努めた」と述べています。彼は、権力への批判意識を持ちながらも、その権力をどのように使うことができるのかを考えたのです。

精神医療の権力や医療技術に対する中井の考え方は、細かな治療のやり方や応対の仕方にもおよびます。

たとえば、効果の見込める治療でもありながら、懲罰にもなりうるという理由から敬遠されていた、電気けいれん療法という治療法があります。中井は、学生時代にこの治療法を見学して、耐えがたく感じた一方で、治療後に患者がひとりきりで目覚めることのないようにする、といったちょっとした工夫を勧めています。[*18]そうすることによって、電気けいれん療法も上手に使いうるというわけです。あるいは、病棟のなかを往来する時に、出会う患者ひとりずつに声をかけるようにするべきだ、と中井は述べています。[*19]これは、当たり前のことのようでいて、実際にはほとんど実践されていませんでした。

このように、精神病院や精神医療そのものを批判するのではなく、そのなかでどういう工夫をすればもう少しましなことができるかを考える――こうした実践を中井は「病棟を耕す」とも表現しています。[20]つまり中井は、病院を治療することを実践していたのです。

▼異質な他者を歓待することによって自分自身が変化する

また、先述したように、木村敏が「1＝0」という統合失調症者の公式を徹底的に追求すれば反生命の立場を取らざるをえないと考えていたとすれば、中井はむしろ、「1＝0」という公式を必ずしも全面化するのではなく、統合失調症者が「正常者」には思いもつかないような仕方で生き延びていくことを言祝《ことほ》いでいます。

現代の言葉で言い換えるなら、それは、マイノリティがマジョリティになることを、つまり「正常」になることをめざすのではなくて、マイノリティがマイノリティのままで生きていくことを重視するということです。

中井は、レインの「統合失調症旅路説」と同じように、統合失調症の患者を「正常」なマジョリティの棲《す》まう「1＝1」という公式でつくられている現実（この「世」）へと適応させるだけでは不十分だと考えます。しかし、逆に彼らが自らの「1＝0」という公式によって現実をあらたに構成し直すことにも、困難が伴います（それは一種の「革命」に身を捧げることと同じかもしれません）。むしろ中井は、この「世」それ自体が、「1＝1」という公式によって構成されたひとつの現実であるとともに、「思いがけない」別の現実でもありうることを示すような逃走線として、患者の回復過程をとらえようとしました。[21]

こうした議論は、統合失調症を一種の「旅」ととらえるレインの主張を正面から受け止めつつ、日本の精神医学・精神医療において受け入れやすい仕方に改版したものであると言えるでしょう。実際、中井は、「精神医学界の鬼子といわれてきたレインであるが、こんど著作や自伝を読み返してみて、おやおやレインは『ふつうの精神科医』ではないかと思った」と言っています。[*22] 言い換えれば、精神医療改革運動や反精神医学を否定するのではなく、受け止めたうえで、それでもさまざまな工夫をしながら精神医療にイエスと言い、臨床に向かうのが、「ふつうの精神科医」のあり方なのです。

　このような中井の「ふつうの精神科医」としての態度もまた、木村と同様に、現代の臨床においていくぶん薄められた形で浸透していると言えるでしょう。たとえば、近年であれば、統合失調症のみならず自閉スペクトラム症の患者による独特な世界の構成の仕方が気づかれるようになりました。そして、彼らを「正常」へと矯正するのではなく、彼らが自らの特異性を活《い》かしながら、この「世」になんとか棲まうことができるように支援することによって、マジョリティの側は、この「世」が決して単一的なものではなく、複数的なものでもありうることに気づかされるようになりました。

　それは、異質な他者（マイノリティ）を迎え入れはしても自分自身は決して変化することのない社会、つまり「多様性」を単なるお題目として肯定しているにすぎない社会ではなく、異質な他者を歓待することによって自分自身が変化する可能性に開かれた社会を構想することにもつながっています。より強く言うならば、それは、精神医療改革運動や反精神医学の騒乱の後で、「ポスト反精神医学」あるいは「ポスト六八年」的な静かな革命を可能にするものでもあるのです。

▼ポスト反精神医学としてのラ・ボルド病院

「ふつうの精神科医」や「ポスト反精神医学」という点から見た時に、先駆的な試みとして興味深いのは、フランスのラ・ボルド病院の実践です。

ラ・ボルド病院は、一九五三年にラカン派の医師ジャン・ウリが開院した精神病院です。「制度論的精神療法」（psychothérapie institutionnelle）の主要な実践の場であり、フェリックス・ガタリがここで活動していたことでも知られています。制度論的精神療法とは、病院におけるさまざまな制度を問い直しながら、自主管理的に制度を運用していくことを重視する精神療法のあり方だとひとまずお考えください。

この病院で院長を務めたジャン・ウリは、反精神医学や、イタリアで精神病院を全廃する主導者となったバザーリアに対して批判的でした。どうしてかと言えば、バザーリアに代表される精神病院の廃絶を主張する人たちは、社会的疎外と精神病的疎外を混同しているからだといいます。

患者が精神病院に収容されている状態、もとい、収容されざるをえないような差別が社会に蔓延している状況は、社会的疎外です。バザーリアのような人たちは、精神病院を廃止すれば、疎外は解消されると考えます。しかし、精神医療の現場における疎外には、社会的疎外だけでなく、精神病的疎外というものもある。精神病的疎外とは、人がイメージや言語や欲望を受け取りながら自らの心をつくり上げていく際に被る疎外のことであり、簡単に言えば、一般に言われているところの「病」それ自体による疎外であると考えてよいでしょう。したがって、社会的疎外だけに目を奪われていると、精神病的疎外は放置されてしまうことになってしまうわけです。

ウリは、次のように言っています。

例えば、ローマに旅行して、イタリア精神医療が現在どうなっているか、ご覧になると良いだろう。社会的疎外と精神病的疎外とを混同すると、民間クリニック、家族会、拘束器具の新聞広告、自殺、ホームレス化、さらには統合失調症と呼ばれる人々が行方不明になるといった事態が増えるということがわかるだろう。[*23]

精神病院(=社会的疎外)をなくすだけでは、精神病的疎外は残ってしまう。そこでウリは、精神病院という「器」は残しながら、そこで制度論的精神療法を実践するわけです。つまり、個人の治療や患者のケアをすることと並行して、病院や施設そのものも治療するのです。

ウリの考えでは、根本的に重要なのはむしろ精神病的疎外のほうであり、精神病的疎外を改善するためには、社会的疎外を利用してもよい、とされます。つまり、精神病院を一種の避難所ないし「駆け込み寺」として使いながら、そのなかで精神病的疎外から回復することをめざす。これが、ウリのやろうとしたことなのです。

ウリは、反精神医学批判の文脈でフーコーのことも批判しています。ウリに言わせれば、ある種の反精神医学の論者たちは、精神病院を歴史的に相対化したフーコーの尻馬に乗ったがために、精神病院を廃止すればいいという粗雑な議論を展開してしまったということになります。すなわち、「フーコーのおかげで反動的な、――反動というのは保守的なという意味であるが――反精神医学というものが横行するようになってしまった」、つまり、フーコーこそ反精神医学の流行の戦犯だというわけです。[*24]

▼「〈言う〉こと」を可能にする「自治」の場

では、ウリの言う制度論的精神療法とは、具体的には、どういう実践だったのでしょうか。たとえば、ラ・ボルド病院の患者は院内を自由に歩きまわることができます。閉鎖病棟はありません。そして、さまざまなクラブに自由に参加したり、アトリエで活動したりしながら、バラバラになった自分の身体像を再構築することで、何かを「〈言う〉こと」ができるようになるのだとウリは言います。

この点は非常に重要です。クラブやアトリエで活動していると、それまで言えなかったことが言えるようになることをウリは強調しています。「〈言う〉こと」ができるようにすることが制度論的精神療法の治療であって、「〈言う〉こと」ができなくなったとすれば、クラブやアトリエは閉鎖されなければならないのです。このことを記した面白いエピソードが、『精神病院と社会のはざまで』という本のなかに出てきます。

ラ・ボルド病院で、あるグループが陶芸場で作業し、壺《つぼ》をつくっている。ある日、ガタリとウリが毎週行われるアセンブリ（ミーティング）の時に、この陶芸グループについて話をします。そこで次のような会話がなされるのです。

「なんてきれいな壺なんだろうね！」とウリが言う。フェリックスが「そうだね」と真顔で応える。「でもちょっと……」と言いよどむと、ウリが「ちょっときれいすぎると言いたいのかい？」と応える。「言い出せなかったんだけど、そう思ったんだ」とフェリックス。ウリかフェリックスのどちらかが、この陶芸のアトリエはとりあえず一度閉鎖しなくてはならないと思う、と語る。というのは、きれいな壺をつくることだけに熱心になると、このアトリエで大事なのは壺だけになってしまって、並んで話をし、互いに鍛えあい、罵りあう人間が不在になって、アトリエは主観性の発揮される場ではなくなり、制度を産出することができなくなって、壺しかつくらなくなるからだ！[*25]

壺をつくることそれ自体が目的になってしまうと、主体性が発揮されにくくなり、ひいては「〈言う〉こと」ができなくなってしまうというわけです。

文脈は違いますが、次のような事例にも似たところがあります。現代のオンラインゲームは、学校や社会にうまくなじめない人の「逃げ場」として機能している場合があり、その「逃げ場」のなかで学校や社会ではできないような交流が可能になることがあります。しかし、みんながゲームにおける勝利やランクアップばかりをめざすようになると、「逃げ場」であったはずのオンラインゲームのなかで、より強力な疎外が起こることもあるわけです。

そのようなことにならないように、絶えず治療環境それ自体を治療していく実践が必要になります。一瞬だけ何かを「〈言う〉こと」ができるようになるだけでは不十分で、それが長続きしないといけない。だから、クラブやアトリエ、あるいは病院そのものも絶えず治療されながら運営していかなければならないわけです。

聞いた話では、ラ・ボルド病院では、医者や看護師などの新しいスタッフが入ってくると、新人のためのオリエンテーションを患者が担当するそうです。ラ・ボルド病院の文化を一番よく知っているのは、毎日、実践活動を続けている患者なのだから、患者が「新入り」のスタッフに対してオリエンテーションをする。これはまさに、病院がヒエラルキー的にならないようにする工夫の一例であると言えるでしょう。

ある種の反精神医学の主張のように、単に精神病院をなくしてしまえばいい、というのではなく、むしろその精神病院という社会的疎外を使って、いかにして新しい何かを「〈言う〉こと」を可能にするのかを考えるのが、ラ・ボルド病院の実践の特徴であると言えます。

これは中井久夫の態度とも似たところがあります。もともと病院というものは、何らかの法律や制度でつくられたものであるがゆえに不自由な側面もあるのですが、その制度にただ服従するのではなく、その制度を自分たちでどういうふうに工夫して運用していくかを、つまり「自治」していくのかを彼らは重視していたのです。

▼反精神医学ではなく「半精神医学」――当事者研究

ここまで見てきたように、中井久夫やジャン・ウリの実践は、「ポスト反精神医学」、あるいは「ポスト六八年」の取り組みとして位置づけられるものでした。反精神医学やそれと同時代の「六八年」的な革命運動が、国家や医療システムに代表されるような大きな社会構造に厳しく対峙したのに対して、それ以後の「ポスト六八年」の世代は、よりローカルな、つまり精神病院のなかでの、より個別的な取り組みを繰り広げていったのです。

「ポスト反精神医学」、あるいは「ポスト六八年」という観点から見て、ユニークな実践をしているのが、北海道浦河町《うらかわちょう》にある「べてるの家」です。一九八四年に創設された「べてるの家」は、統合失調症などの精神疾患を抱えた当事者たちの拠点で、今では一〇〇名のメンバーが所属しています。そこで暮らす当事者たちにとってここは生活共同体であり、昆布《こんぶ》の加工・販売などで働く場としての共同体でもあり、互いの面倒を見るケアの共同体でもあります。

この場所のユニークさの象徴が、「幻覚&妄想大会」というイベントです。普通の精神医療からすると、幻覚や妄想というのは取り去るべき対象（ないほうがいいもの）です。ところが、この「幻覚&妄想大会」では、一番すごい幻覚や妄想を発表した人が優勝するのです。精神医学が患者に押しつける基準とはまったく異なる基準を、統合失調症の当事者たちがつくり、イベントにまでしていることが、この当事者グループの「自治」の姿を物語っています。

「べてるの家」の設立に関わったソーシャル・ワーカーの向谷地生良《むかいやちいくよし》は、「六八年」的な運動（全共闘運動）の担い手となるには少々遅すぎた世代（一九五五年生まれ）で、学生時代には難病患者の自立生活運動に関わっていたそうです。そのため、病院という場所において専門家集団がつくり出す権力関係についてよく知っていました。

しかし、「ポスト全共闘」、すなわち「ポスト六八年」世代である向谷地は、既存の権力を粉砕するようなかつてのやり方とはまったく異なる方法を取ります。それは、専門家と当事者はお互いに対等であり、当事者たちが自分の言葉を手に入れるためには、共同性や相互性こそが重要であるという考えに貫かれたものでした。

その「べてるの家」で、二〇〇一年以降、「当事者研究」と呼ばれる実践が始まります。当事者研究とは、障害や何らかの問題を抱える当事者自身が自らの問題に向き合い、自助グループの仲間とともに「研究」することを言います。[*26] たとえば、グループのミーティングで、誰かが自分の困っていることを発表する。そうすると、ほかの参加者が「そうだよね」とか、「自分はこうだけど」といったふうに応答することで、次々にいろいろな話が出る。当事者研究の場では、そのような実践によって、当事者が自らの語りを取り戻していくのです。

障害や何らかの問題を抱えた人々は、これまでは医学の言葉によって自分を語ることを余儀なくされていました。たとえば、統合失調症という診断を受けると、自分のことを「統合失調症です」と言うしかなかったのです。しかし、自助グループ的な集まりのなかで、自分の言葉で自分の困っていることを表現することを仲間と一緒にやるということによって初めて、医学の言葉ではなく、自分自身の言葉で自分の困っている状態を語ることができるようになっていくわけです。

こうした実践は、「ポスト反精神医学」の取り組みに連なるものではないでしょうか。権力構造を転覆することを試みる（医学的権力と闘う）ことよりも、むしろ当事者同士の横のつながりを重視し、そこからそれぞれの当事者の特異性が析出してくることに主眼を置く。そして、既存の医学に対してはそれを「半分借りる」といった態度を取る。それゆえ、「べてるの家」の人々は自分たちを「反精神医学」ではなく「半精神医学」という言葉で形容しているのですが、そのような態度は、「ふつうの精神科医」が精神病院をなくすのではなく、むしろそれを利用して、疎外からの回復をめざしたことと重なるように思われます。

▼「ポスト六八年」の思想の実践としての「べてるの家」

さて、さらにユニークなのは、「べてるの家」の「当事者主権」に対する考え方です。「べてるの家」では、「自分のことは自分で決める」ではなく、「自分のことは自分〝だけで〟決めない」ということが強調されます。

ふつう、「当事者主権」という言葉は、病や障害を持つ人が主権を持つ（奪われていた主権を取り返す）ことを意味しています。つまり、病や障害の当事者以外の人が、当事者の代わりに何かを決めるべきではなく、当事者が自己決定をすることが重要である、と考えるのです。そのように考えられるようになった背景には、かつて当事者ではない周囲の人々（家族や社会）が、当事者の代わりに当事者のことを決めてしまうという人権侵害があり、そのことに対する反省があったのです。だからこそ、「自分のことは自分で決める」ことが大事だと考えられたのです。

しかし、「べてるの家」では、「自分のことは自分で決める」ではなく、「自分のことは自分〝だけで〟決めない」と言われます。なぜなら、「自分のことは自分で決める」というスローガンにしたがって、ひとりだけで自分のことを考えていると、煮詰まったり、考えが変な方向に暴走したりしてしまうかもしれない。だから、自分とよく似た困りごとを抱えた仲間と一緒に、グループで研究することによってこそ、自分の語りを取り戻すことができると考えるのです。

また、「べてるの家」は、「反省」や「批判」というやり方には否定的です。反省したり、自己批判したりするのではなく、自分に起こっていることを「共同で研究する」ことが大事なのです。こうした点も、「自己批判」が重視された、以前の政治的なあり方とは異なる、「ポスト六八年」的なものであると言えるかもしれません。

▼「当事者になる」こと

実際、「べてるの家」の取り組みには、ジル・ドゥルーズとフェリックス・ガタリによる「ポスト六八年」の思想と共鳴しているところがあります（ガタリが活動したラ・ボルド病院の実践と相通じるところもあります）。ふたりの共著『千のプラトー』では、「生成変化、あるいはプロセスとしての『マイナー性』と、集合、あるいは状態としての『マイノリティ』を混同してはならない」という一節に続けて、次のように語られています。

ブラックパンサーの活動家は、黒人ですら、黒人に〈なる〉必要があると主張したものだ。女性ですら、女性に〈なる〉必要がある。ユダヤ人ですら、ユダヤ人に〈なる〉必要がある（一つの状態に甘んじるだけでは不足なのだ）。しかし、そうだとすれば、たとえばユダヤ人への生成変化はユダヤ人と同様に、非－ユダヤ人にも必ず効力をおよぼすことになるだろう。女性への生成変化は女性と同様、必ず男性にも効力をおよぼしていくだろう。[*27]

これは、当事者が「当事者になる」ことの重要性を主張した一節であると読むことができます。「当事者になる」ということは、固定した何らかの問題の状態に留まっていること（「当事者である」こと）ではありません。実際、自分が何らかのマイノリティであったとしても、自分の現在の状態に甘んじている限り、何の変化も起こりません。

たとえば、今でも、地方の女子中高生は、「女の子なんだから大学なんか行かなくていい、行くとしても短大にしておきなさい」などと言われることがあるようですが、それを「当たり前」のことだと思っていては、何の変化も起きないのです。

しかし、自分と同じような境遇で生まれ育った少し上の先輩に、大学に進学して自分の道を見つけた人、つまりロールモデルになる人がいたとすれば、その時、初めて「自分も大学に行きたい」という気持ちが生まれ、それを主張し、今までとは違う自分になろうとすることになります。これは、「マイノリティ」としての女性が「マイナー性」としての女性に〈なる〉、つまり生成変化するということの一例です。

当事者研究の知見によれば、このような生成変化が起こるためには、必ずグループの力が必要なようです。自分とよく似た人たちとのグループのなかでこそ、人は初めてマイノリティであるという状態ではなく、マイナー性に向かう生成変化を獲得できる。そして、そのことはやがて、マイノリティ以外の人たちにも影響をおよぼしていく。これは、ドゥルーズとガタリが「ポスト六八年」において考えた革命のあり方ともよく似ています。

すなわち個別のマイノリティがグループをつくって、お互いの経験を認め合い、参照し合いながら運動していくことによって、社会全体が少しずつ変わっていく、というビジョンです。実際、一九七〇年代以降、たとえば障害者運動やウーマンリブなどのマイノリティは、それぞれ個別のグループをつくり活動しました。そして、そのようなマイノリティ運動の成果の一部は、たとえば障害者権利条約や女子差別撤廃条約のような国連条約として結実していますし、それらの運動を参考に、さまざまなマイノリティが自助グループをつくって活動するようになっています。

『千のプラトー』には次のような一節もあります。

ところで、固有名というものは、一個人を指示するのではない。——個人が自分の真の名を獲得するのは、逆に彼が、およそ最も苛酷な非人称化の鍛練の果てに、自己をすみずみまで貫く多様体に自己を開くときなのである。固有名とは、一つの多様体の瞬間的な把握である。固有名とは、一個の強度の場においてそのようなものとして理解〔包摂〕された純粋な不定法の主体なのだ。[*28]

これは、「べてるの家」の当事者研究をそのまま言い当てているような一節です。ふつう、「固有名」というと、自分の個別の名前のことであり、その名前を持つ自分がどのような存在であるのかは、その人自身が決定すべきことであると考えられています。ところが、ドゥルーズとガタリは、固有名とはそのようなものではなく、むしろ複数の声が発される非人称的な場のなかで、自分を開いていくことで獲得されるというのです。

「べてるの家」で、「固有名」や「真の名」に相当するのは「自己病名」です。「べてるの家」の人たちは、「統合失調症生活音恐怖型引越しタイプ」「統合失調症内部爆発型発熱タイプ常時金欠状態」など、当事者研究のなかで、自分たちで病名を編み出しています。それはまさに、「最も苛酷な非人称化の鍛練の果てに、自己をすみずみまで貫く多様体に自己を開くとき」に生成されるものなのです。

ガタリは、先に触れた制度論的精神療法について、集団のなかで問題を取り扱うことによって、「錯乱とか、病者がそのときまでそのなかに孤立的に閉じこもっていた自己表示などが、ひとつの集団的な表現様式にいたりつくことができる」ようになるとも語っています。[*29]これもまた、「べてるの家」の取り組みや当事者研究にも当てはまる言葉ではないでしょうか。

▼「主体集団」がつくる「斜め」の関係

さて、精神医療の歴史をひもときながら、「自治」の可能性について考えてきたこの議論をまとめておきましょう。

かつて、精神医療には、医師も患者も、強制入院や隔離や拘束を自明のものとする既存の仕組みに自発的に隷従し、その仕組みの単なる「受益者」である時代がありました。これは、医師も患者も「服従集団」に属していた時代であると言えます。このような精神医療の仕組みに対するラディカルな否定から、反精神医学のような「六八年」的な思想と運動が生まれました。

このような思想と運動は、空間の比喩を使うなら、垂直的なヒエラルキーの存在を自明なものとみなし、そのヒエラルキーのなかで上から下へとトリクルダウンしてくる「おこぼれ」をもらうようなあり方を否定するものでした。そして、垂直的ではなく水平的な、つまりヒエラルキーを撤廃し、横のつながりを重視するような「民主化」されたあり方を求めるものでした。

しかし、精神病院を全廃するようなラディカルな運動は、必ずしも成功したわけではありません。特に日本やフランスのラ・ボルド病院の場合、精神病院をなくすことよりも、むしろ精神病院は維持したうえで、そのなかでいかに抑圧的でないような実践ができるか、ということが問われました。その際に、彼らは、精神病院の「当事者」として自主管理する「主体集団」となったのです。

もう一度空間の比喩を使うなら、そのような「主体集団」は、水平的なあり方を重視しながらも、かといってかつて存在した垂直的なもの（精神病院）をなくすのではなく、むしろ弱毒化して使うこと――いわば、「斜め」ないし「ちょっと垂直」なあり方――をめざしたのです。

その結果生まれた新しい仕組みが、もともとの精神医療の仕組みや精神病院というあり方を温存させているとしても、そこにはかつての精神医療や精神病院とは重要な差異があります。ここでは、そこで働いている差異を山カッコつきの〈自治〉と呼んでみたいと思います。

▼世界をましなものに組み換えるための〈自治〉

本書では、全章を通して「自治」と「　」つきで表記していますが、それとは別に、この〈　〉は、「ポスト六八年」の思想であり実践としての〈自治〉という含意を強調したものです。

「一〇〇分の一」批判によって学会は解散を余儀なくされ、精神病理学の研究はいったん不可能になりましたが、木村敏や中井久夫によってその研究は再開されました。しかし、それは単に以前と同じ研究が再開されたということではなく、何かが+α《アルファ》されたのです。木村や中井らの「ふつうの精神科医」としてのあり方は、そのことを示しています。そのようにして、私が今も研究している〈精神病理学〉が誕生したのです。

ヨーロッパでも、精神医療に対する異議申し立てから、バザーリアの改革のように精神病院の廃止が唱えられる一方で、それでも精神病院が必要だという考え方が登場します。そして、その時に生まれた+αが制度論的精神療法であったと言えるでしょう。このようにして、ラ・ボルド病院は〈精神病院〉になったのです。

このような、山カッコつきの〈精神病理学〉や〈精神病院〉は、反精神医学のような「六八年」的な「反」とは異なりますが、それでも「反」の思想に影響された痕跡を残しつつ、既存の医学や精神病院や治療環境を治療しながら、〈自治〉の方向へと歩みを進めてきたのです。

こうした「ポスト六八年」的な〈自治〉の取り組みは、さまざまな領域でありえるでしょう。たとえば精神医療の世界には、SST（生活技能訓練）と呼ばれるリハビリテーションの方法があります。SSTでは、日常のコミュニケーションがうまくできない統合失調症や発達障害の人に対して、ロール・プレイング的に日常の行動を教えたりします。これは、典型的な患者管理の手法としてよく批判されるものでした。[*30]

しかし、先述した「べてるの家」では、自分たちの特異性が抑圧されないようにするにはどうするかということを考えながらSSTを使っています。[*31] いわば、SSTを〈SST〉として、社会の変革をめざす社会モデル的なエンパワメントの文脈へと置き直すような実践がなされているわけです。

このような実践を踏まえた時、〈自治〉とは、「一見、便利なもの」に潜む抑圧の構造を認識し、かといってそれを全否定するのではなく、「ちょっとした工夫（＋α）」で、既存の仕組みを組み換え、世界の見え方を変え、このクソみたいな世の中をちょっとでもましにしていくことだと理解することができます。こうした見方に立てば、大学を〈大学〉に、会社を〈会社〉に、病院を〈病院〉に変革することもできるかもしれません。このように、さまざまな領域で〈自治〉の可能性は開かれているのです。

コラム❸——「自治」の現場から

野宿者支援からのアントレプレナーシップ

斎藤幸平

北九州小倉にやって来た。長年、野宿者支援に取り組むＮＰＯ法人「抱樸《ほうぼく》」の奥田知志さんに会うためだ。奥田さんたちが新たに企画している「希望のまちプロジェクト」について話を伺い、炊き出しと夜回りにも参加した。

その夜は、台風でも来ているのかと思うようなものすごい雨。テントを設営するだけで、すぐに靴も洋服もびちゃびちゃになってしまった。そして、四月だというのに、風も強く、とても寒い。コロナ禍以降は、公園で調理したものをみんなで食べるのではなく、持ち帰り用の弁当を配布する形式になっているが、こんな悪天候の日には弁当をもらいに来る人も少ない。さすがに中止でもいいのではないか、なんて正直思ってしまう。

ところが、奥田知志さんは、三〇年以上一度も炊き出しを中止したことはないという。実際に台風の日も、雪の日も、この炊き出しを毎月二回（冬は毎週）続けているのだから本当にすごい。

　結局、弁当をもらいに来たのは三〇名ほどだろうか。参加しているボランティアのほうが多いくらいだ。けれども、かつては五〇〇名以上が集まって来たときもあったという。これほど人数が減った背景には、二〇一三年に生活困窮者自立支援法ができて、生活保護をもらいやすくなったことが大きい。

　法改正のきっかけの一つが、二〇〇七年に北九州市で起きた事件であった。生活保護を打ち切られた男性が「おにぎり食べたい」とメモ書きを残して、アパートで餓死したのである。これは、私が貧困問題に強い関心を持つようになった理由の一つでもある。当時大学生だった私は、日本のような経済的に恵まれた国で、おにぎりも食べられないような状況で亡くなる人がいることに強い衝撃を受けた。いかに自分が恵まれているかを痛感するとともに、なぜそのような悲劇が起きてしまうのかをきちんと知りたいという気持ちが、当時大学生だった私をマルクス研究に向かわせたのだ。

　法改正によって、たしかに生活保護はもらいやすくなった。けれども、支援がそれで終わってはいけないと奥田さんは強調する。生活保護につなげ、アパートに入ってもらったところで関係性を終えてしまうというような「問題解決型」ではいけない、と言うのだ。

　ここに「抱樸」の独自性がある。つまり、野宿者たちが本当の意味で社会復帰をしていけるように、その後も時間をかけて支援をしていく「伴走型」が「抱樸」のスタイルなのだ。「伴走型」の特徴を奥田さんは「ホームレス」と「ハウスレス」の区別で説明してくれた。

野宿者は、文字通り「家がない」状態であり、これを「ハウスレス」と呼ぶ。このような経済的困窮は、生活保護をもらって、アパートに入ることで解決することができる。

「しかし、それだけでは必ずしも社会のなかでの居場所は見つからない」と奥田さんは言う。どういうことか。仮にアパートに入っても、家族、ご近所さん、友人とのつながりがない状況が続くなら、結局は部屋に閉じこもって、ますます社会からは孤立してしまう可能性がある。その結果、健康を害してしまったり、仕事を見つけられず社会復帰ができない人もいる。要するに、困ったときに「助けて」の合図が出せないまま、社会的孤立が続く。それが「ホームレス」の状態だ。

「ホームレス」を脱するためには、毎日の料理や洗濯といった日常的習慣を取り戻す必要もあるし、周りの人たちとも交流して信頼関係を築く方法を学び直さないといけない。それは長年にわたって、社会の片隅で夜間の襲撃などに怯《おび》えながら野宿をしてきた人にすぐにできることではない。時間のかかるケアが必要となるのである。

だから、奥田さんは「抱樸館」という施設を二〇一三年に作った。路上生活から自立生活への橋渡しとなる支援住宅で、一階には食堂があったり、相談員が常駐したりしている。また、二〇一七年に「抱樸」が一棟丸々買い上げたというアパートにも連れていってもらった。こちらは、単身生活が可能になったときに入居できるアパートで、保証人などの問題をクリアしやすくしている。

どちらも建設費や購入費が数億円単位でかかっており、これは、もはや普通のNPOではない。奥田さんは起業家だと、私は唸った。もちろんその起業の精神の意味は、ネグリやハートが言う「アントレプレナーシップ」(二六八頁参照)のことだ。

当初、「野宿者が集まる施設」に対して、地域では治安などへの懸念から反対運動もあったという。それでも近隣住民を粘り強く説得し、地域清掃などのボランティアもしながら、だんだんと受け入れられてきたそうだ。この日、話を聞いた元野宿者の方も、今では仲間たちと互助会を作って、その世話人を務めるほど、社会復帰を果たしていた。「抱樸」の人たちとカラオケ大会や運動会を企画したり、瓦版《かわらばん》を発行したり、楽しそうなのだ。

そして、度肝をぬかれたのが、現在進行形の「希望のまちプロジェクト」だ。費用の額の大きさも、めざす理想の高さも――。あらゆる人がお互いに助ける側にも、助けられる側にもなれる場所をめざすというのだ。

プロジェクトは総額一五億円。まず、施設の用地として、もともと特定危険指定暴力団・工藤會の事務所があった場所を「抱樸」が市から買い上げた。著名な建築家がデザインする建物は四階建てで、一階にはおしゃれなレストランやコワーキングスペース、リサイクルショップ、シェアキッチンなどが入り、障害のある子どもたちの放課後デイケアも行う。そして三・四階を困窮している人のためのシェルターにするという計画だ。北九州の人々がここを日常的に訪れ、支援者・被支援者という立場を超えてお互いに交流するような場所を作り出そうとしているのである。地域づくりコーディネイト室やボランティアセンターも置く予定だ。みんなの「ホーム」が、二〇二四年にできあがる。

このような野宿者支援にとどまらない取り組みの背景には、「ハウスがあってもホームがないという状況が日本全体に広まっている」という奥田さんの危機感がある。子どもの貧困、ヤングケアラー、単身世帯の非正規労働者など、社会的孤立の問題は、いまやどこにでもあるからだ。

この新たな問題は、家族にも会社にも、行政にも対処できない領域だ。〈私〉と〈公〉では対応できずに、広がるばかりの空白を埋めるのが〈コモン〉なのだ。「抱樸」のような下からの「自治」の取り組みが、行政や市民を巻き込んで地域共生社会を作ることにつながっていく。

それは一方通行の支援・被支援というトップダウン型の関係ではないと、奥田さんは強調する。そこには、支援者たちも支えられ、学び、変わっていくというプロセスを見てきた「抱樸」の歴史がある。支援者のカップルの結婚式に支援者も被支援者もみんなが参加して、祝ったり、被支援者が亡くなられた後は、みんなでお葬式をしたり。血縁ではない新しい「家族」の姿――「家族機能の社会化」――は、今より大きなスケールになろうとしている。「希望のまちプロジェクト」の話を聞いて、これが「斜め」の関係（一八九頁参照）なのかもしれないと、ふと思った。この誰もが「助けて」と言える空間が、〈コモン〉と「自治」の基礎であり、「抱樸」の挑戦は、新しい社会に向けた第一歩になるかもしれない。

第六章

食と農から始まる「自治」

――権藤成卿自治論の批判の先に

藤原辰史

藤原辰史
（歴史学者／京都大学人文科学研究所准教授）
一九七六年、北海道生まれ。京都大学人間・環境学研究科博士課程中途退学。博士（人間・環境学）。専門は農業史、環境史、食の思想史。主な著作に『ナチスのキッチン―「食べること」の環境史』（河合隼雄学芸賞、水声社／決定版：共和国）、『給食の歴史』（辻静雄食文化賞、岩波新書）、『分解の哲学』（青土社、サントリー学芸賞受賞）など。

▼「自治」の問題としての食と農

私の専門は、食や農にまつわる歴史と思想の研究です。と言うと、疑問を持たれる読者もいらっしゃるかもしれません。食や農と「自治」がどう関係があるのか、と。

ですが、「自治」と農業や食が深く結びついていることはすぐにおわかりいただけるはずです。人類が農耕を始めた時、それは共同作業でしかできなかった。ひとりの力で森を切り開くことも、川から水を引いてくることも、大地を耕すこともできなかった。農業はいつも複数の人間を巻き込みます。その人間たちの協力の成否は死活問題でした。

それより先に始まった狩猟採集も、ほとんどの場合は協力し合ってなされていました。森にせよ、平原にせよ、海にせよ、川にせよ、大自然のなかで、人間より大きな獣をひとりで仕留めるのは至難の業でした。身の危険を避けるため、共同で作戦を練って獲物を攻撃することでしか、その肉にありつくことはできませんでした。木の実を集めるときも、みんなでやったほうが効率的です。

そうして獲得された食べものをみんなで分けることも、やはり効率的でした。火を熾《おこ》し、焚《た》き火《び》を囲み、火や水（あるいは微生物）で化学変化をさせた動物や植物などを一緒に食べるほうが自然だったと考えられます。調理で得られた良質の栄養素は、栄養の選《え》り好みが激しい脳を発達させ、自然を改変する道具と、人間同士が協力する方法をさらに進化させていきます。

ですから、人類史の黎明《れいめい》期から資本主義がすっぽり世界を覆った現在に至るまで、「自治」は、その反対の極にある「支配」や「孤立」の問題ともからみつつ、「食べもの」と不可分なものとして存在してきました。

「自治」と農の関連性については、ほかにもさまざまな説明の仕方があります。本書の第三章の岸本聡子さんや第七章の斎藤幸平さんの言葉を借りれば、誰もが生きていくために必要とするもの、つまり水や土壌やエネルギーなどの〈コモン〉(共有財)をみんなで協力して(時には争いを調停しながら)管理していくことが「自治」の重大な側面であります。

とりわけ日本列島の水田地帯では、水の共同管理は重要な課題でした。これを水利と呼びます。水利組合は今なお欠かせません。大きなダムなどは国家や地方公共団体の管轄になりますが、中小規模の水路は使用する農家みんなで清掃し維持しなければ、田植えの時期に川下のほうまで十分な水が供給できません。

また、古くから日本の農村にあった水争いを事前に抑えるためにも、寄り合いなどでの共同体の利害調整は必須でした。ただもちろん、その中心は男たちであり女たちは蚊帳《かや》の外にあったことは、のちの議論のためにも確認しておく必要があります。

共有されたのは、農作業に必要な共有物だけではありません。森林もそうでした。村落共同体の共有林は、単に薪炭《しんたん》や肥料の採取場であっただけではなく、山菜やきのこ、野生動物などの宝庫であり、それが日常の食材になっただけでなく災害時や経済恐慌の時の非常食になりさえしました。

もちろん、共有地はいつの時代もうまく運営されていたわけではありません。生活の危機にさらされている農民たちが共有地を自分のために過剰に使用することもありました。このようにして生じる争いと、それをもう一度和らげて調整することは、個人の財力や知力だけでどうにかできるようなものではありませんでした。

生きるのに必要な「食べもの」も、独占されるものと共有されるものとに分かれていました。たとえば、収穫後に作物を持ち寄って共同体の倉庫にも保存しておき、水害や日照りなどの自然災害に備えておきました。また、来年の播種《はしゅ》のために必要な種子を食べてしまうと来年の飢餓が確定してしまいますから、みんなの監視のもとで保管されていました。領主や政府の厳しい取り立てはいつも共同体の成員の命に関わるものでしたから、そのためにも協力する（場合によっては団結して権力に直訴する）ことが必要だったのです。

そして食と農の個人化が進む現在も、根本的な構造は変わりません。それどころか、食と農を通じた「自治」は今こそ検討に値する課題であると思います。現在、グローバリズムの進展で富裕層と貧困層の二極化が進んで中間層が没落し、共通の議論の土台が崩れ、倫理観の欠けた憎悪を煽る言説があふれています。社会的帰属を失った人々の（かつての革命の手段としてのテロではなく）ルサンチマンの爆発としてのテロが吹き荒れ、少なくとも議論の土台を用意できたリベラル・デモクラシーが衰えを見せるなか、食と農という人間性の砦《とりで》のような領域を通じた地域の「自治」の可能性にデモクラシーの原点回帰を探る試みは世界的に同時進行中であり、喫緊の課題であると私は考えています。[*1]

ただ、日本近現代史を少しでも学んだ者としては、食や農を土台にした「自治」という言葉を聞くと心中穏やかではありません。と言いますのも、この言葉を聞いて真っ先に思い浮かべるのが権藤成卿《ごんどうせいきょう》という思想家だからです。

権藤は一九二〇年代から三〇年代にかけて、古めかしい漢文調の文体とアナキズムといっていいほどの国家批判によって日本の論壇で一世を風靡《ふうび》した人です。[*2]私は権藤にずっと関心を寄せてきましたが、私にとっては、学ぶべき思想家というより克服すべき思想家と言ったほうが近い。権藤の「自治」の思想は、現在から考えてもその重要な論点を提示しているけれど、不完全な「自治」に陥ってしまう可能性があるので模倣は危険である、という立場です。

▼農村自治に魅了された柳田國男

先に、権藤成卿の議論をわかりやすくするために、彼が活躍する前と後に農村の「自治」に魅了された二人の人物を紹介することで、比較の観点を持っておきたいと思います。柳田國男《やなぎた》と斎藤仁です。

まず、日本民俗学の祖として知られている柳田國男。よく知られているように、彼は東京帝国大学で農政学を修めた後、一九〇〇年に農商務省農務局農政課の官僚となり全国各地の農山村を訪ね歩きました。そこで、村の「自治」に関心を抱くようになりました。

では、当時の農山村のどんな姿の「自治」に彼は魅了されたのでしょうか。それは、近世の村落に起源を持つ「郷党」(郷土における民衆)の結びつきでした。もちろん、明治維新からすでに三〇年以上経っていた当時、地方にも近代資本主義の波は押し寄せていて、郷党の結束の解体は始まっていました。しかし、柳田はその結束にこそ大きな可能性を感じていたのです。

そして、たとえば、近代資本主義にも適応できる協同組合（当時の言い方では産業組合）を、郷党の結束を根拠につくり上げることに希望を見たのです。つまり、近世以来の村落自治の伝統と、近代的な協同組合を合致させることを農務官僚としてめざしたのでした。[*3]

近代資本主義的な考え方と従来の共同体を、反発させるのではなく組み合わせようとする柳田國男の構想は、たとえば、小作料の仕組みの見直しの提唱にもあらわれています。彼は、米や麦での物納をやめ、小作料を金納化したほうがいいと講演録『時代ト農政』（一九一〇年）で提案しました。[*4]米などで物納されている小作料を金納にしていけば、小作農たちは農作物を販売し、お金に換える必要が出てくる。そのことで農作物の販売の仕組みが行き渡れば、農民たちは、小作料を納めた後、手元に残ったお金を自由に使えるようになり、経営の自立が進むはずだと主張したのです。

この部分だけを見ると、柳田の発想は近代的に見えます。しかしその一方で、自立した小作農がバラバラの存在になっていくのではなく、村落にもともとある紐帯《ちゆうたい》を維持し、「相互扶助」機能を重ねていこうとも主張する。これこそが「産業組合」なのです。

たとえば、多くの村落では、「講」という結社が今でいうマイクロ・ファイナンス、つまり少額の金融を担っていました。「講」は、それぞれの所得に応じてお金を出し合ってストックし、火事や災害や飢饉《ききん》などの緊急事態の時に使用するというような仕組みです（現在では単にお酒を飲む口実として運用されているところも多いです）。このような村落の機能を産業組合によって洗練させ、市場と自然の暴威に協力して備えることを柳田は考えていたわけです。

▼斎藤仁の「自治村落論」

柳田國男が描いたような、近代資本主義と農村の「自治」の補完関係をもう少し経済学的かつ分析的に論じた経済学者がいます。戦後に活躍した斎藤仁という農業経済学者です。斎藤は戦後の農業史に多大なる影響を与えました。私が東京大学農学部の農業史研究室に勤めていた時、ここで最も頻繁に議論されてきた理論が斎藤の「自治村落論」でした。

斎藤は、日本の村落には、中世から続く「自治」的な管理・運営体制があったと考えていました。その体制が、急速な近代化・資本主義化の衝撃を吸収する緩衝材となり、村落内の相互扶助によって波を乗り越えることができた。つまり、イギリスのように村落共同体の機能が弱体化し、農民層が上下に分解することで都市労働者の予備軍が形成されたのとは異なり、日本は国家主導の近代化が進められるなかでも共同体が粘り強く残存し、それがむしろ変化しながら近代化を支えたという見方です。彼は、マルクス経済学のなかでも「労働力商品化の解消」を主要な主張とし、独自の理論を形成した宇野弘蔵《こうぞう》の影響を強く受けています。

さらに斎藤は、柳田と同様に、産業組合も村落自治が発達したところで一層発展する傾向があると説きます。そういう意味では、戦後の農業協同組合（農協）を通じた日本の農業組織のあり方は、実は自治村落に深く根ざしたものだったと言えるでしょう。

これは日本に限りません。二〇世紀末の東南アジアの経済的な上昇を支えたのも実は農村であって、村社会が利害調整を果たさないと無理だったと、開発経済学者の速水《はやみ》佑次郎は論証しています。[*5]

村落の自然発生的とも言うべき利害調整の働きは、近代的企業にはなかなか望めない側面です。これは「自立」というより「自律」と言うべきでしょう。何か問題が起こった時、寄り合いで話し合い、あるいは、村落で高い地位にある人間が調整役として仲介する。場合によってはその後、食事をともにして、酒を飲むことで、生じていた亀裂を徐々に修復していくわけですが、近代企業では（「飲みニケーション」による調整は健在であるとはいえ）どうしても問題が訴訟やストライキに発展しますので経済的には費用が高くなる。私はストライキ権の行使は重要な基本的権利だと思っていますが、この取引費用を自然と軽減できる自治村落の力が、近年高く評価されているわけです。

▼農本主義の引力

このように紹介をしていくと、農をめぐる「自治」は魅力的に響くかもしれません。柳田國男が言うように村落共同体の結束が資本主義の猛威の緩衝材になるばかりでなく、斎藤仁や速水佑次郎が指摘するように日本の近代的経済発展の基礎でもあったとするならば、資本主義の発展の犠牲者としての「農」という通俗的なイメージは崩れるでしょう。

ただし、柳田と斎藤の議論は、村落共同体の柔軟性を資本主義がうまく利用しているとも読めますし、資本主義に対峙するものとして「自治」をとらえる視点は弱いように思えます。

一方、一九二〇年から三〇年代にかけて一世を風靡した権藤成卿は二人とは異なり、資本主義や西欧近代に完全に対抗するものとして民衆の「自治」を措定する農本主義的な思想家でした。何よりも重要なのは、まさにこれまで論じてきた民衆の「自治」こそが、資本主義や近代化が引き起こした危機から農村を救うと彼が主張したことです。

一般に農本主義の根幹には、庶民の常識的な感覚があります。すなわち、近代化・都市化が進むなか、農業や農村を遅れた存在としてみなす「進歩的」な政財界のエリートたちの考えに対し、それはおかしいのではないか、「自然」を切り離して人間は生きていけないだろうという感覚です。

また、農を中心にした共同体や社会や国家というイメージには、人を惹《ひ》きつけてやまないある種のロマン主義が宿っており、みんなで参加してお互いの命を支える共同事業という意味で庶民のリアリティもあります。そして実際、多くの場合、農本主義者は反西欧、反国家、反エリートを唱え、近代社会に苦しめられる庶民の心をつかんでいった。

つまり柳田國男たちが、農村の共同体を、資本主義と個人のバランスを取るための緩衝材のようにとらえていたのとは違い、多くの農本主義者は反資本主義的かつ封建主義的な色彩を帯びる傾向がありました。権藤成卿の思想もこの系譜にあります。

世界恐慌後の一九三〇年代は世界中の農村が困窮し、あちこちでこのような農本主義的な運動が巻き起こりましたが、とりわけ権藤の場合は、国家や官僚の民衆統治を批判し、「自治」と「自然」を組み合わせて前面に出すという点で、別の言い方をすればアナキズムにつながるものとしてユニークであると私は考えます。

ですが、後で詳しく触れるように、三井財閥・團琢磨《だんたくま》などが殺された血盟団事件、あるいは犬養毅首相が暗殺された五・一五事件の黒幕として権藤が名指しされたように、政治テロを肯定する思想を形成した「ファシスト」という側面が問われています。この暗部を素通りすることは、今後展開していく自治思想の形成の足を引っ張るのではないかという危惧を私は抱いております。

ですから、本書の課題である「自治」の可能性を論じるためには、権藤成卿を避けて通れない。権藤は、「自治」を問い直す際に役立つ論点のみならず、「自治」をめざした時に陥りがちな罠《わな》がどこにあるのかを指し示してくれるのです。

私は、権藤の二面性を整理しつつ、現在の食や農を通じた「自治」の理論形成と実践のなかで注意すべき点を考え、それによって「自治」の可能性のありかを探しやすくすることができればと考えています。マキャベリの至言「天国へ行く最も有効な方法は、地獄へ行く道を熟知することである」は、この問題にもあてはまるでしょう。

▼権藤成卿とは何者か

では、権藤成卿とは何者か。彼は、一八六八年に久留米《くるめ》の藩医の息子として生まれ、上京し一九〇二年に、内田良平が主幹を務める黒龍会に加わります。大アジア主義を掲げた国家主義団体です。[*6]

そののち一九二〇年に『皇民自治本義』を出版。[7] 同年、自治学会を発足させて、「自治」を中心に据えた思想運動を展開していきます。それがさらに一九三〇年代に隆盛を誇る農本主義の本流を形成していく。文藝春秋から刊行された『農村自救論』（一九三二年）は、難解な漢文調にもかかわらず、また検閲で重要な箇所がかなり削られたにもかかわらず、多くの熱心な読者を獲得しました。とりわけ恐慌や冷害で困窮した農村を憂うる人々にとって、権藤の農本主義が魅力的に映ったのです。

権藤は、中国由来の中央集権制を拒否したうえで、「自治」にもとづき「民」が自主自立していくことで、外からやってくるさまざまな災難から自分たちを自身の力で守り通せると主張し、そのためのヒントを日本古来の歴史をひもときながら紹介しました。

その彼の自治論のなかで、食は極めて重要な位置を占めています。『農村自救論』で権藤はこう述べています。

> 大陸文明の感化が、衣服並に住宅に如何なる影響を与えたかということは、想像に難からぬ処《ところ》であるが、此《この》感化は食物に対しては寧《むし》ろ少なかった。尤《もっと》も我が太古には、玄米《くろごめ》を精《しら》げずに其儘《そのまま》食したもので、伊勢大神宮に三杵《きね》の供御《くご》ということがあるが、其《そ》れは粗平《あらむき》の米のことだと云《い》う。[8]

権藤は、贅沢《ぜいたく》な中国文明の影響を受けなかった質素な食文化に日本らしさを見出し、そこをもとにして日本独自の自治思想を考えていきます。しかも、食とは国のものではなく、民のものであることを主張するために、以下のように『古事記』を援用します。

> 古事記に「山幸も己が幸幸、海幸も己が幸幸」と云う古諺《こげん》がある。之《これ》を「山福海利天の分に随う」と要訳し、又「居、海に近き者は漁《すなどり》し、居、山に近き者は佃《かり》し、民、自然にして治まる」と誌《し》るされてあるのは、共に我古代の成俗を写せる文献である。今克《よ》くこの山幸海幸の古諺を玩味して、山の幸即ち山の生産、海の幸即ち海の生産、皆己の受ける幸として、必ずしも之を君の幸とも、国の幸とも唱えないのは、現代に於《おい》て何も彼《か》も国家の為《た》め、公益の為めと呼号して、陰に壟断《ろうだん》独占を事とし、飽くことを知らぬ実況とは、全く似よりもせぬかと思う。[*9]

ここには、万人の共有物としての食、貴族や王家や国家の独占物ではない「民の幸」としての食の存在が高らかに宣言されています。食を根拠に社会を正常に戻していくという権藤のプロジェクトは、食の思想という意味でも現在もそれほど古びて感じないと私は考えます。

▼権藤成卿の理想——「社稷《しゃしょく》」共同体による農民の「自治」

権藤成卿の農本主義を簡潔にまとめると、土は自然の力と人間の力の交錯する点であり、その力は権力者の私有物ではなく共有物であり、だからこそ土から「自治」が生まれるという主張です。

彼の理想は、「社稷」にもとづいた共同体による「自治」でした。「社稷」とは彼の代名詞のような概念であります。土地の神を祭る「社」と穀物の神を祭る「稷」を組み合わせた古代中国の言葉で、大地の祭りという意味合いです。

権藤は、『自治民範』（一九二七年）で「土地を離れて人類はない、人類を離れては社稷もなければ鬼神もない。乃《すなわ》ち人類は、必ず其土地に就て衣食住を営むべきものである」と書いています。[*10]「鬼神」という聞き慣れない言葉がありますが、天地万物に宿る霊魂という意味だと考えておけばよいでしょう。

この人類普遍的な「社稷」を根本概念として『自治民範』は次のように展開していきます。人間が生きていくうえで何より大切な「土地」は、王様や国家権力の私有物ではなく民の共有物である。また、土地に生ずるものはすべて、土と天と人の労力の産物、自然と人間の力の交錯によって生まれるものであり、本来そこに天皇や国家の力が入る余地はない。その原点を踏まえ、民衆を主体として、民の生活の安定と「自治」を重んじる皇室が民衆と一体となって「まつりごと」を行っていくことが大切なのだ、と彼は主張します。

権藤は、皇室の存在意義を否定しませんが、しかしそれはあくまで「道徳」を国民に示す立場にすぎず、権力を振るって統治するものであってはならない、「君民共治」にすべきである、と言い切る。彼が先の引用で「日本国民」ではなく「人類」という言葉を用いていることからも、国家に対する彼の不信感が読み取れます。

すでに述べたように、権藤思想にとって「土」（と、それに代表される自然一般）も重要です。彼は、『自治民範』で土が「化育《かいく》」の場であると繰り返し説いています。「化育」とは、自然が万物を生み育てることです。生態学の言葉でいえば物質循環や分解過程にほかなりません。彼が「自治」を論じる背景にはいつも「化育」が存在します。

実際、権藤はこのようなことも書いています。――私たちが食べている海の幸、山の幸は本来、誰の所有物でもなかった。ただ土地に感謝し、海や山の幸を食べていれば、それがすでに幸福であり、安定・安全が保たれていたのである。災害時に備え、倉庫に蓄えた物資は「社稷」の共有物であり、富となった。そうして皿に盛れるだけの食物を等しく分配していた人々のなかに、縁もゆかりもない者が入ってきて命令し、収奪するのは自然ではない。安全に生きるために、原始、「自治」が始まった。「自治」とは本来、上から与えられるものではなく、人々が幸福を求める過程で自然に湧き起こったものなのである、と。

そして『農村自救論』では、不況や飢餓に襲われた農村が「甚しく疲弊」しているのだが、それは「自ら之を招致して此に到れる」と言っています。農村を救済するために、政府はいろいろな手段に訴えるが、農村固有の「自制力」を育てず公序良俗も守らずにこの危機を乗り越えることはできない、とも述べています。[*11]

さらに、村の「自治」の姿は日本古来の歴史を学べばいくらでもヒントが見つかると言い、解決策を神代に求めるのです。

▼権藤のアナキズム的な側面

このように権藤成卿は国家による政治を廃棄し、「無政」にすべきだと断じ（『自治民範』）、アナキズムに接近していきました。

明治維新以降の中央集権と西欧文明のやみくもな摂取、資本主義の利己的な性格、日韓併合や満洲国建国は、当然、彼の非難の対象でした。[*12]

それだけでなく、古代出雲《いずも》から、ほとんどの時代の権力者たちの腐敗も痛烈に批判しています。聖武《しょうむ》天皇は「仏法に沈溺《ちんでき》」して大きな寺院や仏像ばかり造って民衆を飢えさせ、[*13]平安時代の藤原氏は歌や宴《うたげ》に「淫奢《いんしゃ》」し、[*14]室町幕府は権力欲に溺れて「財政を紊乱《びんらん》」させ、[*15]江戸幕府は同族を富ませることしか考えていない官僚組織で「庶民百姓は租税製造機械」にされていた。[*16]

さらに、「官治組織の心底は、独り徳川氏のみならず、凡《およ》そこんなものである。本来官治組織は、其支配者、及び其同類眷族《けんぞく》の位置を、普通人以上に安泰にするのが目的」と断罪しています。[*17]権藤は、富の吸収装置としての中央集権国家を精神的に支えた仏教のあり方を批判し、明治政府のような中央集権に唯々諾々と従う人々の精神性も批判しました。

加えて、当時、盛んに行われていたブラジルやアルゼンチンなど南米への移民政策については、土地から人々をひきはがす「棄民」だと一刀両断にしています。

そして資本家と金融機関を罵倒し、労働者の職を奪う大きな機械なども否定、さらに文明開化とともに入ってきた西欧文化や奢侈《しゃし》を憎み、質素倹約を呼びかけました。

また、マルクスに影響を受け問題意識を共有していたにもかかわらず、マルクス主義を「国民本位の国家主義」だとして違和感を示しています。つまり、マルクスの理論は国民経済が中心であり、地域経済の人と人のつながりを軽視していると見たのです。[*18]

▼平等を求めて――大化の改新と班田収授法の評価

逆に、権藤成卿が認める政治とはどのようなものだったでしょうか。先に、権藤の思想の中核に「土」があり、土の力は共有物である、と考えていたと述べました。また、上古を理想とする傾向があることにも触れました。

このふたつの延長線上にあるのが、大化の改新によって導入された「班田収授法」の評価です。権藤は、これを村の「自治結束を堅め」る「千古の一大英断」と高く評価します。[*19]

班田収授法では、土地をすべて国有にしたうえで、六年ごとに作成される戸籍にもとづいて「口分田」と呼ばれる土地を満六歳以上の男女に分配し、死ねば国家に戻すという制度が導入されました。男は二三アールで女性はその三分の二であるなど、男女や身分によって分配される土地の面積には違いがありましたが、ある意味、生まれ落ちた人間すべてに最低限の生活を無条件に保障するという現代のベーシック・インカムに通じる仕組みと言えなくもない。

ただ、それと異なるのは、お金ではなく、米を生み出す田んぼである、という点です。お金の代わりに自然物を共有するという、権藤が班田収授法を評価する理由はここにあります。

しかしながら一般の史学では、班田収授法はむしろ中央集権的政治の典型であるという評価もあり、権藤の論の特異な点です。それゆえ権藤はやや強引に唐《とう》の均田法との違いを強調しようとしますが、ここではその彼の議論を詳しく論じる準備がありません。とにかく、誰もが田を平等に持てるということが人間にとって非常に重要であり、それが保証されるところから「自治」が始まると考え、評価したのです。

▼暴力的な改革礼賛と昭和維新テロへの影響

中大兄皇子《なかのおおえのおうじ》（のちの天智天皇《てんじ》）と中臣鎌足《なかとみのかまたり》が蘇我入鹿《そがのいるか》を宮中で暗殺した「乙巳の変《いっし》」から始まる「大化の改新」は、原始の「自治」を取り戻す画期的な事件だったと権藤成卿は絶賛しました。

では、原始の「自治」とは何か。それは「八百万神の時代の如《ごと》く、自然の醇樸《じゅんぼく》に従ったもの」なのだと彼は言っています。[*20] 自然を素直に受け止め、その流れに身を任せ、作為に溺れない世界をこう表現しているわけです。とするならば、平安朝も江戸時代も明治も彼には自然の素朴さから離れた、退廃したものとして映ったのでしょう。

そして、大化の改新に大きな影響を与えた南淵請安《みなぶちのしょうあん》という元遣隋使の学問僧を尊崇し、中大兄皇子と中臣鎌足が南淵の塾で重ねた質疑応答を記した古文献が権藤家に密《ひそ》かに伝わっていた体を装い、『南淵書《なんえんしょ》』なるものまで執筆・出版しています。これは、現在の歴史学界であれば追放される行為です。[*21]

実際、当時も『南淵書』は学者たちから「偽書」だと指摘されており、晩年の権藤は思想の担い手や研究者からはほとんど関心を持たれなくなります。ただ、日本政治思想史研究者の河《こう》野有理《のゆうり》は、権藤は偽書であることを「本気で隠す」ことはせず、むしろ自分が偽史を編んでいることに「自覚的」だったと指摘しています。

『自治民範』が、この偽書を引用しているとはいえ、昭和維新を夢見る者たちの心を打ち、北《きた》一輝《いっき》の『日本改造法案大綱』（一九二三年）とともに聖典となったことも事実です。[*22]飛鳥《あすか》時代中期、天皇以上の権勢を振るう蘇我氏へのクーデターでもあった大化の改新の理念や根拠が熱くつづられていたためです。暗殺に端を発する改革を礼賛していた権藤のもとにいた若者たちが政治テロに走ったのも理解できます。

権藤は、事件への直接の関与はなかったのですが、血盟団事件に参加した若い農民たちとも交流が深く、五・一五事件や二・二六事件で決起した青年将校のなかには、彼の講演を聴いたり本を読んだりしていた人間が少なからずいました。また、『自治民政理』では、世の中のひどい部分を「廓清《かくせい》」するために「諸君其れ自ら起て」と叫ぶこともありました。[*23]

五・一五事件を起こした青年たちの檄文《げきぶん》で「自治」という言葉が登場するのは「国民自治の大精神に徹して人材を登用し　朗らかな維新日本を建設せよ」の一カ所にすぎません。ほかの箇所にある「先《ま》づ破壊だ」といった激烈な言葉に「自治」が埋もれてしまっている印象ですが、ただ、この一カ所だったとしても、その意味は小さくなかったはずです。[*24]

▼軍国主義と農本主義

こうしたテロやファシズムにつながる動きと権藤成卿の思想との関係には、いろんな評価の仕方があります。たとえば、戦後になって、政治学者・丸山眞男《まさお》は、権藤なしに日本の軍国主義化は語れないと批判しました。

丸山は農本主義を、日本の遅れた近代の歪みのあらわれとみなしていました。一九四八年に発表した「日本ファシズムの思想と運動」という有名な論文で、日本の農本主義にはナチスのような近代性が欠けており、その前近代性が日本型の軍国主義やファシズムの特徴となった、と述べています。[*25]

この議論には多くの批判が投げかけられていますが、私は、丸山眞男を西欧中心主義者として安易に批判する立場にはありません。日本の農村で、確かに満洲移民運動へとつながるファシズム的なものが醸成されたことは間違いなく、そこで個人の主体や異なった意見が摘まれていったことを考えれば、なおも有効な議論だと思っています。

丸山は言います。日本のファシズムは、だいたいふたつに分類できる。ひとつは、天皇を中心とした絶対主義的国家権力を強化しようとするもの。もうひとつが、日本という観念の中心を国家ではなく郷土的なものに置こうとする傾向のものだと。

郷土を中心に考えるファシズムはさらに、高度の工業的発展を肯定し、そのうえで郷土も大事にしようと主張するパターンと、工業を否定し農村・農業を中心に置くべきだと考えるパターンに分かれ、前者は北一輝が、後者は権藤成卿が典型だと指摘しています。

丸山は、村落共同体的なものが日本の近代化を阻害し、自分で自分の行動に責任を持つ自立した市民ではなく、お上に唯々諾々と従う非主体的な人間をつくってきたとして伝統的な農村共同体に厳しいまなざしを向けました。確かに農村の紐帯には、自己を滅却する主体性のなさをつちかってしまう側面があります。和を尊び、上の者に従い、出すぎた態度は取らないという傾向です。そして、そういう姿勢こそがファシズムの土台であったというのが丸山の論でした。

日本の軍国主義体制がファシズムだったか否かは、学者によって議論が分かれるところです。また、権藤の思想を「農本ファシズム」と指弾する人もいれば、そうではないと擁護する人もいます。

とはいえ、権藤に感化された青年将校たちのテロをきっかけに、デモクラシーの残滓《ざんし》は息の根を止められ、政党政治に終止符が打たれ、軍部の力が増し、日本の右傾化が急速に進んでいったのは事実でしょう。

▼左派と権藤成卿

ただし、五・一五事件の裁判記録などを読むと、右翼とされている青年将校たちの考え方に左翼的な要素も含まれていることに驚かされます。メンバーには貧困にあえぐ東北地方の農村出身の士官候補生や貧しい士官も多く、国家や特権階級が民衆に暴力を振るっているという切迫感を抱いて決起していました。青年将校たちの書いた檄文のなかにも「塗炭に苦しむ農民労働者階級」という言葉が出てきます。

一九二九年一〇月にニューヨークのウォール街での株式相場大暴落から始まった世界恐慌は、翌年、日本にも波及し、倒産する企業が続出しました。失業者が急増し、農産物の価格も大暴落します。大冷害による凶作が東北地方を襲うのは五・一五事件の後ですが、それ以前から農村は窮乏し、娘に身売りさせて売り先からお金を前借りして生き延びるという農家が急増しました。

そんな労働者や農民の現状を憂えていた青年将校たちが、政府や資本家たちを痛烈に批判し農村固有の価値を説いた権藤成卿の言葉を心強く思ったとしても不思議ではないでしょう。権藤の理想は、権力者が甘い汁を吸うことのない社会、誰もが衣食住を満たされる自己統治でした。そして、富の集中を痛烈に批判し、古代出雲の豪族から明治政府までをばっさりと切ってみせた。それは、現状に不満や疑問を抱く者にとって非常にわかりやすく、痛快なものだったでしょう。

一九三〇年代には共産党に対する弾圧が何度もあり、左翼から天皇に忠誠を誓う転向者が続出しましたが、その少なからぬ人々が農本主義や柳田の民俗学に惹かれ、権藤が主宰していた自治学会にも参加しています。マルクス主義を学んだ知識人たちにとっても、権藤の思想は魅力的だったのです。

彼の自治論の分析対象が日本に留まらず、ヨーロッパが含まれていたことも魅力的に映った理由のひとつかもしれません。彼はこう述べています。ロシアの「ロマノフ家」もドイツの「カイゼル」も「社稷」から離れて、民衆は権力者の「奴隷」になった、と。[*26] 第一次世界大戦後にロシアでもドイツでも革命が起きて、ロマノフ王朝もドイツのホーエンツォレルン家も権力の座からひきずりおろされますが、権藤にとってみればそれは自壊にすぎず、「社稷」の理念からすれば必然だったのです。

▼権藤の時代批判力

こうした権藤成卿の権力批判は、現代でも通用する一面があります。

また、自然破壊が深刻化する今、権藤の「社稷」や「化育」という言葉にも人を惹きつける何かがあると思います。ある部分だけを取り出して言い換えれば、彼のめざしたものは、自然界の営みを重視したうえに、食という〈コモン〉をもとにしたアソシエーションの形成だと表現することも可能で、本書のもとになった自治研究会でも「危ないのはわかるが、あらがいがたい魅力もある」という声があがったほどです。

権藤の自治論にしても同じです。丸山眞男などの戦後啓蒙知識人のように村落共同体をファシズムの温床として否定するのでもなく、柳田國男や斎藤仁のように近代化の培養地として評価するのでもなく、共同体の完結性と自立性を訴えるのが権藤の自治論です。

一方、村落共同体の「自治」のありようについての丸山の議論は残念ながら十分に練られていなかったと思います。村落は、戦後啓蒙知識人たちが批判したような上位権力の請負機関でもありましたが、それだけではなく、水利の管理、共有地の利用、小さな規模の金融、祭りの運営、労力の貸し借りなど自律的に振る舞い、一定の力を持つ在村地主でさえも、そのような村落の縛りから完全に自由ではありませんでした。また、柳田や斎藤のように高い評価を与えたとしても、資本主義の矛盾を押しつけられて困窮した農村という面は否定できません。

すると、権藤の自治論は、とても有効な選択肢に思えます。あらゆることがトップダウンで降ってきて、民衆が議論に加わる前にすべてが決まっている現代社会においても、とても魅力的に響きます。

丸山眞男があれだけの警戒心を持って権藤を扱っている理由は、逆に言えば、先に述べてきたような権藤の論がはらむ不思議な時代批判力ではないかと想像します。そして、その時代批判力の欠陥を丸山はえぐり出そうとしながら、頓挫しているのです。

▼リアリティの欠如がもたらした破綻

では、権藤成卿の限界はどこにあったのでしょうか。それは、農村の現場との緊張感の欠如、もっと言えば無関心です。権藤は、農村の問題を扱う時、飢餓や貧困の話をしますが、決まり文句ばかりで具体性と切実さに欠けています。

当時の人々にとってはそれが当然だったからあえて述べていないとも言えますが、同時期の危機状況に陥った農村のフィールド研究を敢行した、マルクス主義労農派の猪俣津南雄《いのまたつなお》による『踏査報告　窮乏の農村』（一九三三年）などで描かれた具体的な苦境の状況を踏まえたうえで農村の「自治」について論じていれば、もっと説得性を増したと考えられます。[*27]

それゆえ、権藤の議論は、どこか農村で貧困に苦しむ人間たちから遠いところで発信していて、現実逃避的にさえ響きます。現実との調整が文章のなかでできていません。上古を理想化しているという点、自分の手は汚さないという点では、同時期の代表的農本主義者で、五・一五事件で無期懲役を言い渡され、一九四〇年に恩赦で出獄した橘《たちばな》孝三郎と比べ、超然としすぎていると言えなくもない。

古代の称揚という彼の傾向は、同時代のイタリア・ファシズムやナチス・ドイツでも同様に見られるものです。ムッソリーニの支配下にあるイタリアは古代ローマの復興をめざし、地中海沿岸の各地に領土的野心をアピールしつつ、一九三五年一〇月にエチオピアに侵攻し、翌年五月に首都アジスアベバを占領しました。

ナチス・ドイツもまた、古代ゲルマンの共同体を理想化し、ギリシャ・ローマの文化に対抗するハイレベルな「古代」がドイツにもあったと主張します。古代ゲルマンの共同体は、自立した農民たちの共同体として描かれました。ちょうどマルクスが論じた原始共同体のような響きもありますが、ナチスが古代ゲルマンの共同体について引用するともちろん人種主義的な解釈が入ってきます。農民たちはアーリア人種でなければならず、スラヴ人やユダヤ人は共同体の敵と認定され、迫害の対象になるわけです。

私が卒論の時から研究しているナチス・ドイツの食糧農業大臣のリヒャルト・ヴァルター・ダレーは「血と土」というスローガンの提唱者ですが、やはり古代ゲルマンを過剰に美化し、金《かね》と欲望に塗《まみ》れた現代資本主義への呪詛《じゅそ》を演説で繰り返すのです。

丸山眞男は、ナチス・ドイツは家族よりも公的領域を重視し近代的だったのに対し、日本は家族主義が強く、ナチスのような「下からの」ファシズムはついに起こらなかったという文脈で、「血と土」を「公的政治的観念」だと断じています。[*28]

このような見方には、多くの批判が投げかけられています。ただ、私なりに丸山のこの分析の根拠を想像しますと、確かにナチスの「血」は人種主義や優生学にもとづいた民族の共同体をイメージしているものの、そこには近代家族観よりも大きな近代的集合意識が垣間見えますが、権藤の「社稷」は共食や祭祀《さいし》を中心に据えていますから、やはり家族主義的面が強いと言えるかもしれません。

ただ、権藤とダレーには類似点もあります。どちらも魅力的なスローガンの創造に長けていることです。都市労働者の顔ばかり見ている共産党の態度に満足できない農村からの支持を巧みなスローガンで権藤が獲得したように、同じくダレーの場合もナチ党への投票者を得ることができました。しかし、そのどちらも、支持を得た後に過酷な農村の現実とぶつかり、行き詰まりに陥ってしまったという類似点があります。

▼自己責任論的態度

とともに、権藤成卿の議論でひっかかるのが、民の「自治」の可能性を論じている一方で、まるで説教師のように民に奢侈浪費を戒め、節制を繰り返し説いている点です。

農村恐慌で生糸の価格が下がり、養蚕地帯を中心に苦しい状況に置かれ、先ほども述べたように一九三二年には東北地方は冷害で稲が実らず、飢餓に苦しんでいるはずなのに、彼はそれを、生活を節制してこなかった農民たちの自業自得だと言わんばかりなのです。

『新明解国語辞典』に、「自治」とは「団体や組織が、自分たちの事を自己の責任においてきちんと処理すること」とあるように、行動にはそれに伴う「責任」が重要なのですが、権藤の説く「自治」とはまず「禁止」があって、それを守るべきだというものです。[*29] 権藤はその禁止の根源を何か超越的なもの、道徳の担い手である「君主」もしくは「天皇」に求めます。先に述べたように彼は「君民共治」を主張しますが、民の力を発揮するというよりは、君の力で抑えつけるように「禁止」や「道徳」が機能することを否定しません。

そして、自分のことは自分で、という考えが、自分たちの家族のことは家族で、という論理に置き換わり、さらには、家族のことは女性に、という「しわ寄せ」の構造も権藤のなかに見られます。

彼は次のように述べています。「衣食住と男女の性欲の要求が風土の状況を同うする郷団の陶冶《とうや》によりて銑錬《せんれん》せられ、我に宜しく、人に宜しき処に於て、郷団の風俗と云うものが形成せらるる」と。[*30] このように男女の性愛を朗らかに肯定しつつも、「失礼なる申分かは知らぬが、婦人と云うものは、兎角《とかく》脱線したがるものである」と女性の「逸脱」を戒め、女性に「徳」を押しつけようとする姿勢が表出することがある。[*31]「男子は男子として各自の職分を賦し、女子は女子として相当の夫に嫁せしめ」と語っているように女性の自律はやはり認められていません。[*32]当時の農本主義者もマルクス主義者もほとんどそうだったと思いますが、家のことはやはり女性の領域で、社会的意味は認められていませんでした。実際に、冒頭にあげた柳田國男と斎藤仁の産業組合や村落の「自治」の議論にも女性はほとんど登場しません。女性も、村落自治の重要な役割を担っていたにもかかわらず。

こうした「しわ寄せ」の構造への無関心に、私は権藤をはじめとするこれまでの「自治」の思想に小さくない落とし穴があると感じます。

というのも、農民や農村の自助努力の奮起にかけようとした一九三二年から始まる農林省の農山漁村経済更生運動の精神と一致点も多いからです。この運動は、各村に更生の計画を立てさせ、優れた申請書に補助金をつける、という「選択と集中」の考え方です。

この延長線上にあるものが、もともと中国東北部（一九三二年、日本はここに満洲国という傀儡《かいらい》国家を樹立した）に住んでいた中国や朝鮮の人々の土地家屋を二束三文のお金で買い叩き、そこに農民たちを送り込んで、国内の矛盾を解決しようという満蒙《まんもう》開拓団の精神とぴったりと符合することを知っておくべきでしょう。

国家の統治をあれだけ批判していた権藤にとって、このような封建的家父長的モデルはひとつの矛盾のように思えます。「自治」と自助努力は似ているようで異なりますが、権藤の思考はこの点では思想というより道徳です。

権藤だけではありません。当時、満洲への移民を強く訴えていた加藤完治の農本主義もまた、男性の農民たちの持つ力の精神的肉体的ポテンシャルを訓練して「開発」し、その力によって苦境を脱するという「自助」的なものでした。苦境は甘受すべきものとして、構造的な批判が国家や資本などに向かいません。ここには、農本主義が軸としていたはずの反近代の精神どころか、農民たちの労働を機械化していくような近代的側面も見られるほどです。

先ほど述べたように、権藤は農村生活の現場を知ろうとせず、農村の苦境の構造的原因の解析をも素通りする傾向があります。そうしたリアリティの欠如が、「自分の怠慢を戒めよ」という権藤の道徳を過剰に強めているようにも見えます。

もちろん私は、思想の担い手はリアリズムに徹するべきだと言いたいわけではありません。現実からの距離こそが、現実を批判する力に転じるのである以上、単なる現状追認に陥るようなリアリズムは避けなければなりません。ただ権藤の農本主義の場合はその遊離が甚だしく、心身ともに疲弊した農民のヒーリング効果はあるとしても、苦境に陥った生活に強靭《きょうじん》な根を張ることはありません。

そして皮肉なことに、日中戦争やアジア・太平洋戦争の現実、つまり、従軍した兵士たちが戦地や占領地で振るった暴力や兵士たちを苦しめた飢餓を権藤は見ることなく、盧溝橋《ろこうきょう》事件の二日後の、一九三七年七月九日に世を去ったのでした。

▼有機農業の身体性

軍国主義の帰結である戦争の現実とは、無数の死であり、際限なく続く飢えです。日本兵の極限の飢餓を描いた『野火』（一九五四年）の作者大岡昇平も、ダイエーを創設し常に食べものがディスプレイされているスーパーマーケットを導入した中内㓛《いさお》もフィリピン戦線で飢餓を経験した人たちですが、戦後の彼らの仕事を見ると（ジャンルはまったく異なるとはいえ）、飢餓経験とは人の考え方の基底を揺るがすものだと考えずにはいられません。[*33]

そんななかのひとりが、戦後に無農薬農業に取り組んだ梁瀬義亮《やなせぎりょう》です。有吉佐和子の『複合汚染』（一九七五年）で絶賛されて一躍有名になった人物です。[*34]

梁瀬は、医者であり仏教者でした。彼は、一九四三年に京都帝国大学医学部を卒業後、瀬戸内の無医村で働いたり、尼崎《あまがさき》の病院に勤めたりしましたが、しばらくしてフィリピン戦線に軍医として動員されます。ここで、部隊全員が死を覚悟した突撃に加わったり、現地の人の畑で作物を盗んで飢えを凌《しの》いだり、それが見つかって処刑寸前までいったり、という経験をして九死に一生を得て日本に戻ってきた人です。[*35]

飢えに苦しみながら、突撃前に死を覚悟して荷物を整理していたら母親が事前にこっそり入れてくれていた金平糖の缶を袋の奥底に見つける、という印象的な経験も、彼は戦後語っています。[*36]

ここで繰り返しますが、権藤には、梁瀬のような身体性を伴った叙述はほとんどありません。苦痛や疲労などの身体性が農村の人々の描写から抜け落ちており、古代に理想を求める権藤のような農本主義よりも、私は梁瀬の荒ぶる言葉に惹かれます。そして、その延長線上にある有機農業の実践と人々との関係構築のあり方に、単なる理想を超えた現実性を感じるのです。

梁瀬が有機農業にたどり着いたのも、本人の身体の危機からでした。梁瀬は復員して尼崎の病院に戻りました。そこは工業地帯でのちに大気汚染公害で問題になるところですけれども、実際に粉塵《ふんじん》にやられて肋膜炎《ろくまくえん》を患いました。生死の境を彷徨《さまよ》いますが、奇跡的に一命を取り留めます。このような恐怖を経験してのち、奈良県の五條市で開業医となりました。

ところが、そこである問題が発生します。空気のいいはずの地域なのに、病院に訪れる農民に神経症を伴う肝炎患者が多いのです。女性も例外ではありませんでした。彼は調査をして、農家が用いている農薬こそが原因であると突き止めたのです。彼が農薬の害を公表したのは一九五九年頃。レイチェル・カーソンの『沈黙の春』の刊行年が一九六二年ですから、それよりも早かったわけです。[*37]

そこから彼は、農家の人々を守るために、農薬をできるだけ用いない有機農業の研究に着手します。一九五九年に「健康を守る会」を結成し、一九六二年に「農薬の害について」というパンフレットを自費で発表して農薬を用いない有機農業を提唱。農家と消費者を、流通を通さず直接結びつけ、会員に安全な農作物を供給するシステムをつくり上げました。一九七一年に、「健康を守る会」は「財団法人慈光会」へと発展し、大手流通に依存せずに、安全な食を共有できる先駆的な試みになりました。とりわけ消費者として女性たちもたくさん加わりました。

また、京都でも、一九七三年に「使い捨て時代を考える会」が登場します。京都大学工学部の槌田《つちだ》劭《たかし》さんが中心となって組織化されました。[*38]

これも、「消費者」を、商品に欲望し、お金を払って、対価を得るだけの存在に閉じ込めるのではなく、農薬と化学肥料を用いないことでリスクにさらされやすくなった農家を「買い支える」、あるいは「一緒に慣行農法の問題を考える」という理念にもとづいたものでした。消費者が農家に足を運んで手伝ったり、一緒に議論をしたりして当事者となることでひとつのゆるやかな食の共同体をつくると言ってもよいでしょう。ここの会も、女性が中心的役割を果たしました。

もちろん、消費者と生産者のあいだにはコンフリクト（軋轢《あつれき》）もありました。明確な基準がないので、「さすがにこれは食べられない」という不満が消費者から噴出することもありましたし、生産者も消費者に対して農家の苦しみを深く理解していない、という不満を漏らすこともあったと言います。

ですが、このような問題をめぐって議論を続け、山積する問題を洗い出し、解決に向けて努力を続けるプロセスに運動の担い手たちは労力を使いつつ、大きな意味を見出していたようです。

こうした運動は、村落共同体の結束をもとにした自治運動ではほとんどなく、食を通じて農業従事者と消費者をつなげ、人間的結束を分断して市場を開発していく強力なグローバル・フードシステムに対抗するものでしたが、冊子の発行や講演会の開催などを通じて徐々に共同意識を高めていきました。

▼「自治」の原点は人間関係

二〇二二年の初夏に私は、複数回、槌田劭さんにお会いしてお話をしました。また、茨城で一九七〇年代から有機農業に取り組んできた魚住道郎さんを交えて槌田さんと一緒に鼎談《ていだん》をする機会にも恵まれました。同時代に長く有機農業に関わってきたお二人には、ある認識が共有されていました。それは、現在の有機農業から、その原点である自治的な人間関係形成の意識が薄くなっているという危機感でした。

この危機感の背景には、たとえば、「オーガニック」や「無農薬」という言葉が、その背景にある公害の歴史が思い起こされることなく、消費を促す記号となっていることや、小さな運動体が大きな組織になることで、次第に理念が形骸化していくことがあります。オンライン・ショッピングでクリックすれば玄関に無農薬や無化学肥料の野菜が届けられるような有機農業の資本主義化は、黎明期にめざされていた生産者と消費者の対話というよりは、「有機農業」という新しい市場の形成であり、有機農業が挑戦していた資本主義社会の弊害の克服というよりは、資本主義の補強とも言うべきもので、「自治」とは異なるものに陥っています。しかし、そんな時代の変化のなかでも、原点の人間関係の形成にこだわっているのが、このお二人なのです。

お二人との話のなかで印象に残っているのが、槌田さんが「使い捨て時代を考える会」の組織の名前に「考える」という言葉があるというのが重要だ、と強調していたことです。会の基準を生産者と消費者に守らせるよりも、時間がかかっても何とか落としどころを見つけ出そうと試み、使い捨て時代を「克服する」のではなく、「否定する」のでもなく、あくまで「考える」ことに留まり続ける、というこの会の姿勢は、「自治」を考えるうえで重要な論点だと私は思います。

槌田さんは、かつて農業経済学者の飯沼二郎との対話のなかで、飯沼の「画一化と民主化は相容《あいい》れない」という発言に応じながら、こう述べています。

「使い捨て」の会のばあい、信頼関係が崩れてガタガタすることも沢山あります。だがそれが当り前なんですね。そこから双方の立場が見えるようになります。そこを無理にとりつくろって解決しようとしても、かえってうまくゆかない。答えを出すのを先に伸ばすだけでいいのです。個々のことにこだわらず、一年たって全体をふり返ってみて、ああ、やってよかったなといえるようなら十分なのですね。[*39]

農村と消費者のどちらかを上位に立たせるのではなく、そのあいだに何とか信頼関係を築いていくために、野菜の値段の基準を会であらかじめ決めておかなかった。迷い、考えることに重きを置いたのです。言い換えれば、誰もが間違いうることを認め、失敗したとしても考え続けるというスタンスを貫徹していると言えるでしょう。ちなみに、この会には当初から女性たちが多く参加しました。

これらふたつの試みと権藤成卿を比べると、権藤の議論に決定的に欠けている点がくっきりと浮かび上がります。確かに、権藤の議論は史実の検証を犠牲にしても「自治」というメッセージを貫き、個人の奢侈を戒めるという点で明快であるのに対して、これらの会は、多くの女性が地道に農と食と人をつなげる実践を、迷いながら積み上げてきました。こちらの「迷い」のほうが、より「自治」らしいと私自身は考えるのです。

▼食堂付属大学の試み

また、我田引水で恐縮ですが、私が二〇一五年から滋賀で主に女性たちと一緒に試みている「食堂付属大学」という地域の「大学」は、何よりもまず（野外のことが多いですが）ご飯をみんなで共有することを中核に据え、そのうえで日々の暮らしに根ざした「学問」と「政治」と「暮らし」を考え、実践していくためのゆるやかな自治組織です。

政治問題・社会問題についての集会を開くこともありますし、単純に学習会を開くこともあり、オーガニック・マーケットで開催されることもあります。参加者には子どもも多く、学校に通っていない子どもたちの学びの場でもあります。どちらもご飯を欠かさないという点では、衣食住を社会変革の中心に据える権藤の「社稷」の思想と大きく変わることはありません。

ただ異なるのは、農家や野菜を栽培している人も参加しているとはいえ、私を含む参加者は「村落共同体」のメンバーではないこと。そして、学術的な報告のみならず普段の生活の問題点を出し合う過程で、全員が全員の話を聞くのですが、何か共通の見解を出すことはしないこと。また、楽器を持っている人たちが音楽を奏でたり政治集会で演劇が繰り広げられたりすることもあり、その意味で政治と大学と芸術活動が融合していることです。演劇の主役もほとんどが女性たちです。

中央政府や地方政府の政策的欠陥の穴を埋めているという意識は、まったくと言っていいほどありません。自分たちが、ただ居心地がよいからやっているという「大学」に、私は、制度上の「大学」にはない創造性を感じることが多々あります。

そもそも、中世ヨーロッパで生まれた大学は自治組織でした。このような臨機応変な知や美の湧出は、各地の子ども食堂や、自主保育などの試みのなかでも生じることがあると聞きます。ですから、逆説的ですが、権藤のように食を出発点としつつ、しかし、権藤にあるような清貧の思想の押しつけも、道徳モデルの画一化も、自己規制力の弱さへの攻撃もない「自治」のあり方を探るために、権藤の思考過程を丹念にたどる作業は今なお不可欠だと私は思います。なぜなら、誰もが善意と正義を抱いたまま落とし穴にはまる可能性があるからです。「自治」思想の負の歴史を学ぶ態度があってようやく、真の「自治」の可能性をとらえることができる。そのような強靭な「自治」であってこそ、現在の憎悪の政治に対抗できる、少なくとものみ込まれないものになるはずです。

第七章

「自治」の力を耕す、〈コモン〉の現場

斎藤幸平

斎藤幸平
（経済思想家／東京大学大学院総合文化研究科准教授）
一九八七年、東京都生まれ。ベルリン・フンボルト大学哲学科博士課程修了。博士（哲学）。専門は経済思想、社会思想、マルクス経済学。*Karl Marx's Ecosocialism:Capital,Nature,and the Unfinished Critique of Political Economy*で「ドイッチャー記念賞」を歴代最年少で受賞。主な著作に『人新世の「資本論」』（集英社新書、新書大賞およびアジア・ブックアワード受賞）など。

▼「自治」をめぐるふたつの困難

本書は「自治」を今こそ大切にしなければいけないという七人の共通の思いから書かれています。けれども、ここまでの議論で何度も出てきたように、「自治」について考えようとする時に直面するふたつの困難がありました。この困難の解決についての糸口を見つけようとするのが、最終章のテーマです。

まずひとつめの困難は、いくら「自治」が大切だという話をしても、自分たちの手で社会を変えられるという道筋を具体的に思い描くことが難しいという問題です。そもそも「自治」をするための力を私たちは失ってしまっているのです。そのような状況で、「自治」が大事だということだけを繰り返しても、あまり説得力がありません。実際、多くの人は「自治は大切だ」というお決まりのフレーズは聞き飽きていて、そんな厄介なものに参加するよりも自分個人の生活を重視したいと感じているのではないでしょうか。

このことは、面倒な政治の意思決定は、AIやアルゴリズムに任せてしまえばいいという「無意識データ民主主義」の改革提案が注目されていることからもわかるでしょう。[*1] 人々の行動をビッグデータとして収集・分析すれば、大衆の無意識を可視化できる。このような無意識のデータの集合が示すもののほうが、たまにしかない選挙よりもよほど民意である。そう主張するのが無意識データ民主主義です。

けれども、無意識データ民主主義は、政治への意識的な参加をあきらめ、選択や決断に伴う責任から逃避してしまおうという提案にほかなりません。自分で政治に参加するよりも、ＡＩやアルゴリズムに任せきりにできるならそのほうが楽だ、と多くの人が感じるからこそ、無意識データ民主主義は人気を博しているのです。そんな状況で、私たちは、はたして「自治」をする力を取り戻すことができるでしょうか。

もうひとつの困難は、どのような「自治」をめざすべきなのか、定義するのが難しいという問題です。社会から遊離したカルト宗教団体であれ、陰謀論にまみれた政治団体や排外主義の差別団体であれ、ひとつの自治組織と言えなくはないでしょう。このことから分かるのは、必ずしもあらゆる「自治」が称揚されるべき存在ではない、ということです。むしろ、カルトや陰謀論が広まってしまえば、民主主義の危機は深まることになってしまう。だとすれば、私たちは、「良い」自治と「悪い」自治の区別をする必要があります。その基準とは、一体、何なのでしょうか。

要するに、どうすれば「自治」のための力を取り戻し、そして、より良い「自治」の形をともにつくっていくことができるのか、という問題です。簡単ではない、この問いについて考察しながら、未来への道程を提示していきたいと思います。

▼「構想」と「実行」の分離

「自治」の力を取り戻すためには、現状の「自治」がどうしてこれほど弱体化しているのか、その根本原因をまず探らねばなりません。私たちはなぜ、社会や政治についてこんなにも投げやりで、無関心な存在になってしまったのか、ということから考えていきましょう。

その際、第一章で白井聡さんが扱った資本主義による「包摂」の問題が重要です。マルクスによれば、資本主義社会のもとで進行する資本への「包摂」によって、人々は生産手段や生産能力を失い、他人の命令や監督にただ従うだけの存在になっていきます。

資本主義以前の職人たちは、自らの経験に裏打ちされた知識をもとに、仕事の作業内容を「構想」し、自分たちで「実行」していました。ところが、資本主義が広まっていくにつれ、労働者が持っていた知識が剝奪されていったわけです。何をどうやって、どれくらいつくるのかを「構想」するのは資本の側になり、その際には、利潤獲得にとって最も効率的な方法へと労働が再編成されていきます。

たとえば、モノを作る作業を単純な工程に細かく分け、分業していくと、熟練した労働者は不要になり、いつでも別の非熟練労働者に置き換えることが可能になります。そして、労働者は、資本の「構想」に沿って出される命令を「実行」するだけの受動的な存在になっていくのです。

生産効率が向上する一方で、労働者たちの自発性は奪われ、画一的で単純な反復作業へと押し込められていく。この「構想」と「実行」の分離がもたらす労働者の馴化《じゅんか》は、産業革命以降の資本主義の発展を見つめていたマルクスが危惧していた事態でした。

▼資本による「魂の包摂」

このように「構想」が資本の側に握られ、労働者が資本にからめとられてしまうことをマルクスは「包摂」と呼んだわけですが、この「包摂」は生産の次元に留まりません。

むしろ、資本の支配は私たちの内面にまでおよんでいきます。貨幣や商品に振り回される生活を当たり前のこと、それどころか望ましいこととして、内面化していく。これが「魂の包摂」です。つまり、資本主義のライフスタイルを積極的に受け入れ、その枠内で、自分の利益や効用を最大化しようとする人が増えていくのです。

再び過去を振り返れば、資本主義に社会がのみ込まれる以前には家族、地元、職場などのコミュニティを通じて、貨幣を媒介せずに実行できたことが、たくさんありました。入会地で山菜を採って料理をしたり、ほころびた衣服や壊れた道具などを自分の手で繕い、直す。田植えなど、ひとりでできないことは、みんなでやる。農村集落全体で道普請《ぶしん》をする。お裾分けもする。お祭りや町内会などの活動も、貨幣の力を使わない「自治」の取り組みです。

けれどもそこには、家父長制的な因習や年功序列や男女差別、村のしがらみなどが存在しており、だからこそ、貨幣で何でも買える商品社会の到来は「解放」でもありました。日用品や嗜好品の買い物はもちろん、子育てから介護まで、あらゆる分野が商品化され、貨幣で手に入れられるようになったことで、生活が楽になった。その限りで資本主義を共同体の束縛からの解放として「自由」だと感じるのも、自然なことではあります。

▼貨幣がもたらした「自由」は自由なのか？

しかし、貨幣がもたらした個人の「自由」を絶対視していいのでしょうか。豊富な選択肢のなかから好きなモノ、便利なサービスを選ぶ、その「自由」に副作用があるとしたら、どうでしょうか。

いや、副作用どころか、私たちが直面しているのは、メニューにのっている選択肢から選ぶといった程度の、レベルの低い「自由」しか残されていないという問題です。ウーバーイーツで自炊のわずらわしさから「自由」になる、ルンバで掃除の負担から「自由」になる。でもそれは、「自由」になった気がしているだけ。実際には私たちはどんどん受け身になり、お金を払わないと料理も掃除もできない他律的な存在になってきている。これが問題なのです。

実際、自炊や掃除の負担から解放されて、空いた時間でやっているのは、残業やメールの返信。あるいは、スマホで次に買うものをリサーチしたり。その際にも、私たちは単に広告や口コミのアルゴリズムによって「おすすめ」されているものを、自分の意志だと錯覚して買うようになっています。

もちろん、お金がなければ便利なモノやサービスも手に入れられません。だから、買えないストレスを溜《た》め込み、「おすすめ」されたモノを手に入れるためにお金を稼ぐことに必死になる。自分で必要なものをつくる能力を失った私たちは、日々の生活のなかでの思考や振る舞いにおいても、「構想」する能力を失っていき、商品と貨幣にますます依存するようになっている。

これが現代消費社会の姿なのです。そのような受動的で、他律的な人間に、民主主義や「自治」の自発的実践を期待するほうが無理筋というものでしょう。

▼コスパ思考が民主主義の危機を深める

それどころか、「魂の包摂」の問題は、近年さらに悪化しています。その原因のひとつが、個人投資の推進です。

アメリカではリーマン・ショック以前からすでにその傾向がありましたし、日本でも、「新しい資本主義」という旗印のもと、ＮＩＳＡ（少額投資非課税制度）などを政府が推進しています。その結果、私たちは、自分のすべての行為を投資とみなし、コスト・パフォーマンスを四六時中、気にして生きるようになっています。

そのことは、費用や時間の効率性をあらわすコスパやタイパが流行語になっていることからもわかります。言い換えれば、「わずかな時間でも、お金になることに使おう」というコスパ思考に陥っていくということです。「一時間あたりのあなたの価値が五〇〇〇円だとしたら、五〇〇〇円を稼ぐために使うべきであって、その一時間を、カレーを自炊するために使うべきではない」といった、起業家たちが好きそうなロジックです。

そういったコスパ思考が生活のあらゆる側面に入り込んでくると、当然、結婚のコスパ、子育てのコスパ、教育のコスパ、さらに言えば、民主主義のコスパといったものを考え始め、そのいずれも当然、割に合わず、コスパが悪いということになってしまう。実際、コスパの悪い地域の付き合いや冠婚葬祭、宗教など、いろいろなものが衰退しており、コミュニティの絆《きずな》や相互扶助の力がますますやせ細っています。

要するにコスパ思考を続けていくと、究極的には、コミュニティや公共の問題などを考えるのは無駄な行為でしかないという結論になり、私的な利益だけ考える個人が増えていき、その分だけ、公共的な関心が失われていく。そのことが、民主主義の危機を増幅しているのです。

▼政治主義の罠

このように考えると、資本主義の「自由」のもとに「自治」や「自律」を高める可能性はあまりありません。むしろ、その基盤を侵食するのが、資本主義です。

今や資本主義的なコスパ思考は、社会のあり方を変えようとするリベラルや左派の思考さえも包摂しつつあり、手っ取り早く世の中を変えていこうという発想が、注目されやすくなっています。つまり、コスパの悪い「自治」や、デモやストライキのような社会運動ではなく、コスパの良い「魔法の杖」に頼ろうというわけです。

その典型のひとつが、緊縮財政に反対し、金融緩和やベーシック・インカムを主張する、いわゆる反緊縮派の議論です。もちろん、経済的格差の解消は必要です。ただ、反緊縮派は、人々に貨幣さえ手渡せば、それですべてが解決すると信じています。反緊縮派にとっては、「上から」ばらまく貨幣が「魔法の杖」です。

反緊縮派の問題点は、政治の力を使って、政治家や専門家が「上から」制度や政策を変えさえすれば社会は変わるという発想にあります。こうした「上からの改革」ばかりを重視する発想を「政治主義」あるいは「制度主義」と呼んで、私は批判してきました[*2]。

なぜ、それが問題なのかと言えば、トップダウン型のやり方では、「構想」と「実行」は分離されたままで、民主主義や「自治」のために必要な私たちの能力は回復しないからです。むしろ、人々は貨幣の力に振り回され続けますし、もっと多くの人が投資に夢中になるだけという可能性もある。それどころか、「上から」の改革を効率よく推し進めるために、民主主義は犠牲にされ、最終的には、自由や平等が今よりも失われてしまう危険性があります。

▼なぜ社会の保守化を止められないのか

「魔法の杖」を待望しているのは、反緊縮派だけではありません。二〇一〇年代以降の日本の社会運動のスローガンは、「選挙に行こう」と「野党共闘」でした。もちろん、投票率は高いほうが民主主義として健全です。選挙の際には野党共闘もしたほうがいい。しかし、それで増える議席は、数議席にすぎません。野党共闘だけで社会が変わらないのはわかっているにもかかわらず、これほど国政選挙ばかりが重視されるのは、政治主義的改革の道しか、私たちが思い描けなくなっている現状を端的に示しています。

けれども、政治主義が引き起こすより深刻な問題は、政党政治のさらなる保守化です。集票が運動の中心的な関心事になっていくせいで、世間で主流を占める価値観にますます迎合するようになるのです。

そもそも個人投資の推進によって、国民は保守化しています。大企業の株価が維持されることが多くの有権者の関心事となっているからです。こうした状況のなかで有権者の票を多く得るためには、株価を下げるリスクのある大企業や富裕層への増税や、金融資本の規制などを野党も強く打ち出すことができません。

同時に、社会の価値観を変えようとする社会運動は「過激」として排除されていきます。ストライキや座り込みのような抗議活動は「迷惑行為」とみなされ、大企業や政治家を表立って批判することも、分断を生むとして、咎《とが》められる。

しかしながら、保守化した世間の価値観そのものを変えることが、社会運動の本来の目的なのだから、対立はどうやっても避けることができないはずです。それを忘れ、票を集め、政治家を取り替えるという短絡的な発想を重視する社会運動や市民運動は、対立を避け、保守化したマジョリティの心性（と、それを生み出している資本の論理）にのみ込まれていくのです。

▼権力の補完勢力に成り下がる社会運動

対立を恐れ、コスパ思考を自明視する結果、ついには社会運動の現場さえも保守化していきます。「対立を恐れず、社会を変えていこう」という運動のモデルをあきらめたＮＰＯやＮＧＯが「行政の下請け化」しているのです。[*3]

もちろん、社会運動だって、お金がないと持続できませんし、行政と協力すべきことが多々あることは否定しません。けれどもコスパ思考が強まっていくと、ある問題を解決するために事業を起こすのではなく、行政や企業から補助金をもらえそうな事業を起こし、それでコネをつくって政策を変えていこうという発想の転倒が起きるのです。

しかしそれでは、社会運動の側から行政批判ができなくなります。行政の下請けになって、公共サービスのアウトソーシング化を助長するだけです。

同じように、ソーシャル・ビジネスに夢中になるという現象も起きています。ここでも、運動にはお金が必要だという持続可能性の視点は、商機を見出してマネタイズするという発想に転倒する。これも、「対立を恐れず、社会を変えていく」という社会運動をあきらめた結果です。

もちろん、私は運動に対して「苦しみながら闘い続けろ」と言っているわけではありません。「補助金をもらいやすい事業案を探そう」「ビジネスにつながる社会問題はないか」という転倒した発想になっていることを、問題視しているのです。

実際、社会運動の現場には、このようなパターンに陥っている人たちがいます。省庁の役人とコネをつくり、審議会委員になって、新しい社会問題の「解決」に向けた事業や助成金の枠組みを創設し、自分でそのパイロット事業を受注し、それを業績としてメディアに出て宣伝する。業績の宣伝でさらに寄付金を集め、また、新たなコネをつくる。

このようにして市民運動、社会運動が社会を変革する力であることをやめ、権力の補完勢力に成り下がっていくのです。権力側からすれば、こういう協力的な存在を増やすことは政府批判を減らすためにも大変都合がよいわけです。

▼「上から」の改革に希望はない

そもそも、制度や政策をいじっただけでは社会問題は解決しません。わかりやすい例が、労働問題です。労働問題に取り組むNPO法人POSSEの代表である今野晴貴《こんのはるき》さんは、次のように指摘します。

ブラック企業問題が解決しない原因は、労働法が存在しないからではない。無茶苦茶な働かせ方を取り締まる法律自体は日本にもある。あるけれども、労働組合が弱体化した日本では、企業のほうが圧倒的に強く、労働者には力がない。そのせいで、法律の運用が形骸化し、「違法労働」がまかり通ってしまうのだ、と。[*4]

そういう現実の因果関係を転倒させ、「法律や制度を強化すればブラック企業は消えるはずだ」と考えてしまうのが、日本のリベラル派の現状です。ブラック企業問題が解決しない真の原因は職場の権力関係にあるにもかかわらず、そこに目を向けないのです。

ブラック企業と労働法の関係からもわかるように、制度や政策は、人々の規範意識によって形成され、運用されます。だから、私たちが腹の底から理解しなくてはならないのは、いくら「上から」の改革があっても、現場の運用が変わらないなら、人々が救われることは決してないという事実です。

▼「下から」の変革と「自治」の力

結局、「自治」をする能力が市民社会の側に欠けたままでは、何をやっても事態は改善しません。制度を変えよう、法律を変えよう、政治家を取り替えて政策を変えようというトップダウン型の変革だけでは、いつまで経っても社会は変わらないのです。

むしろ重要なのは、権利を要求する社会運動のほうが力を持つことです。逆に言うと、権利要求の運動が力を持てば、今より厳しい法律が施行されなくても、職場における差別やパワハラ、セクハラなどをなくしていくことができる。人々の規範意識を揺さぶるような社会運動が広がっていくなかで、法律の運用もさらに厳格なものへと変更されるでしょう。そういう「下から」立ち上がっていく変革の好循環をイメージすべきなのです。そして、そのためには、一人ひとりの「自治」の力を養うことが欠かせないということです。

以上のような理由から、私が専門としているカール・マルクスは、トップダウン型の法制度改革を「法学的幻想」だと批判し、「下から」の変革を重視しました。具体的には、マルクスは、「自治」を育むボトムアップ型の組織を「アソシエーション」と呼び、このアソシエーションを広げていくことが、社会を変えていくための基礎だと考えたのです。[*5]

▼二〇世紀の限界——社会主義国家と福祉国家の共通点

マルクスの言う、ボトムアップ型のアソシエーションの考え方を参照すると、資本主義を批判した二〇世紀型の左派運動の限界がどこにあったのかもよくわかります。

まずソビエト連邦に関しては、官僚主導型の「国家資本主義」であったと私は考えていますが、そのことを脇においてソ連を社会主義国家だとみなしたとしても、ソ連型の社会主義は党の命令と官僚の支配が絶対であった全体主義です。そこに労働者たちの「自治」はなく、国民も、あくまでも管理の対象の「モノ」にすぎない存在でした。

ソ連が独裁になってしまった原因のひとつが、「民主集中制の組織原理」における「目的」と「手段」の緊張関係です。「下級党員は上級の指導部に従う」とか「中央の決定は無条件に実行されなければならない」といった、鉄の上下関係を要求する民主集中制の原則は、スターリン時代に確立されたものです。大衆を指導する立場にあると自任する前衛党の民主集中制には、平等な社会をつくるという「目的」がありましたが、その「手段」として、前衛党が規律をつくり、人々に不平等な統制を強いたのです。

これが矛盾です。平等でない非民主的な運動が、平等な社会をつくることができるでしょうか。むしろ、党中央が暴走すれば、絶対服従を党内のみならず、国民にも要求するようになるでしょう。要するに、ソ連型の社会主義には、マルクスが求めていた「自治」のためのボトムアップ型の組織であるアソシエーションの姿はまったくなかったのです。

ソ連への対抗軸として、西側諸国がめざした社会民主主義の福祉国家体制でも、程度は違えど、同じような問題が生じていました。

たとえば、福祉国家の限界のひとつである、官僚制の肥大化という問題です。いろいろな公共サービスを管理する官僚制が市民から切り離されていく一方で、市民の側は非効率なサービスを享受するだけの受動的な存在に成り下がっていきます。

さらに福祉国家のもとで、労働組合も変質していきました。さまざまな権利要求をしていた労働組合が巨大化していくなかで、左派政党や大企業と癒着した指導部による官僚的組織になっていった。現場でも、賃上げと引き換えに、生産性を上げるための「構想」と「実行」の分離が推進されていきました。その過程で、労働者たちの自治組織は失われていき、アソシエーションの芽がつまれていったのです。

つまり、冷戦の東側も西側も関係なく、二〇世紀の左派による社会変革構想の特徴は、垂直的で中央集権的な組織原理を前提にしていたということです。

そういうトップダウンのやり方では、当然ながら、一部の特権層やマジョリティの関心や利益ばかりが優先される、非民主的なシステムが支配的になっていきます。その結果として、社会主義や福祉国家への批判が強まっていきました。

まさにこの不満や批判を利用して、新自由主義が「自由」や「民営化」を打ち出し、支持を広げていったわけです。これが二〇世紀末に起こった変化です。

ところが、そこにも「自治」はありませんでした。新自由主義は官僚制からの「自由」を掲げたけれども、これはこれで、過剰な市場競争や民営化を招き、「魂の包摂」が進み、コミュニティは解体され、さらに市民の「自治」の能力が奪われていったのです。

▼二一世紀の新展開――水平的ネットワーク型の社会変革が始まった！

では、新自由主義がこれほど広まってしまった世界において、「自治」を回復する可能性はもはや残っていないのでしょうか。ここまで読んだ、多くの方たちが絶望してしまっているかもしれません。

けれども、あきらめるのはまだ早い。たしかに、トップダウン型のソ連のような社会主義も、西欧福祉国家も「自治」を生みませんでした。代わりに出てきた新自由主義も、「自治」の力を奪い続けています。とはいえ、近年、世界では、過去の失敗を踏まえて、トップダウンではない組織原理にもとづいた新しい社会運動をつくる試みが出てきているのです。しかも、それが有機的に政治運動とも結びつくようになっています。

日本にも、変化の兆しがないわけではありません。ボトムアップ型の選挙で岸本聡子《さとこ》さんが杉並区長に当選したのは、第三章にある通りです。こういう新しい運動が重視しているのが、アソシエーションに依拠した「自治」なのです。

こうした新しい草の根運動の始まりは、二〇一一年です。リーマン・ショック後の格差社会のもとで、世界各地で市民たちによる座り込みの抗議活動が始まったのです。有名なのが、ウォール街のズコッティ公園を占拠した「ウォール街占拠運動」でしょう。「一% VS 九九%」というスローガンで、世界の所得上位一%に集中する富を残りの九九%にもっと分配せよと訴えた、あの運動です。

その際、彼らは旧来の垂直型の運動を批判し、水平的ネットワーク型の運動を展開しようとしました。実際、ウォール街占拠運動は「リーダーなき」運動と呼ばれたのです。

▼「生政治的生産」の力を使う

ウォール街占拠運動の理論的支柱のひとつとなったのが、アントニオ・ネグリとマイケル・ハートによる一連の著作です。『帝国』『マルチチュード』『コモンウェルス』の三部作で、二人は現代のグローバルな資本主義のシステムを〈帝国〉と名づけ、次のように説いています。[*6]

グローバル資本主義としての〈帝国〉は、国境を越えて、社会のすみずみまで浸透し、私たちの生のすべてを「包摂」するようになった。〈帝国〉の支配は、もはや国家権力に凝集されているわけではないので、二〇世紀に見られた権力奪取型の前衛党運動は有効性を失った、と。

ここで、ネグリとハートは、資本主義による生の「包摂」を逆手に取って、大胆な社会変革の見取り図を打ち出しました。人々が生のすべてを「包摂」されているからこそ逆に、誰でも、どこからでも〈帝国〉に抵抗する主体となりうるというビジョンを提示したのです。

具体的に説明していきましょう。私たちの生活全体が資本主義のための生産活動の場になっており、それが搾取されている。たとえば、私たちは湯船に浸かる間も新しい企画案を考え、仕事をしています。そして、息抜きの時間にSNSで写真やビデオをアップして、プラットフォーム企業を支えている。さらに、台所でもアレクサが鎮座していて、私たちの感情や行動にまつわるデータを収集しています。これを「生政治的生産」と呼びます。かつてのように生産が工場勤務時間に限定されていた時代とは異なり、私たちの感情やアイディア、検索データなども、資本の価値増殖に欠かせないものになっているということです。これが「魂の包摂」

を加速させます。

実際、日夜生み出されるビッグデータは、商品開発に利用されたり、広告誘導に使われたりします。このように日常における「生政治的生産」を利用・搾取するGAFAのような企業が、莫大な利益を生んでいるのは偶然ではありません。しかしながら、私たちが持つ「生政治的生産」の力を、もっと別の自由な社会をつくるためにも使うことができるのではないか。これがネグリたちの示した社会変革のビジョンです。実際、SNSを使って世界中の人とつながったり、ChatGPTを使って新しいアプリをデザインしたりすることだってできるはずです。

その社会改革のためのキーワードが、「マルチチュード」と〈コモン〉（共）です。

▼マルチチュードによる〈コモン〉型社会

まず、彼らの言うマルチチュードとは、グローバル資本主義の支配下にあるすべての人々、多種多様な人間の集合体を意味します。二〇世紀型の社会運動のように、皆が同じひとつの目的を求めて、鉄の規律に従うというようなやり方とは真逆で、むしろ人々の多様性を重視するのです。『マルチチュード』にはこうあります。

マルチチュードによる生政治的生産は、それが共に分かち合うものや共に生産するものを結集し、グローバル資本という〈帝国〉の権力に立ち向かおうとする傾向をもつ。やがてマルチチュードは〈コモン〉にもとづく生産の形象を発現させ、〈帝国〉のなかを通り抜けて反対側へと突き抜けることだろう。そして自らを自律的に表現し、自らを統治するようになるのだ。[*7]

まさにここで強調されているのが「自律」、すなわち「自治」です。このマルチチュードの視点に立つと、これまでのように、リーダーがトップダウン型で物事を決めるような運動は、もはや時代遅れとなります。なぜなら、そのように従属させ、「上から」管理しようとする試みは、マルチチュードが持つ多様性や創造力のポテンシャルを奪ってしまうからです。

むしろ必要なのは、マルチチュードが、水平的な運動のもとで自由や多様性を維持・促進すること。そうやって、各人の能力を顕在化させ、発展させていくことができれば、それこそが、グローバル資本主義を超えた新しい社会――〈コモン〉型社会としての〈コミュニズム〉――をつくると言うのです。それは当然、ソ連や共産党が喚起するイメージとは大きく異なるものになるでしょう。

では、〈コモン〉とは何でしょうか。「はじめに」でも触れたように、〈コモン〉とは、みんなのものということです。所有形態で言えば「共有」です。資本や企業が富を独占する「私有」でもなく、国家や党、官僚が管理する「国有」でもない、第三の道です。他者と協働しながら、市場の競争や独占に抗い、共に生きていくことを可能にするのが〈コモン〉なのです。

その〈コモン〉のカギとなるのが、人々が主体性を持って、自分たちで管理しながら、生産するという目標です。私はそのような取り組みを「市民営化」と呼んでいますが、貨幣や商品を媒介しない、誰もが必要とするモノやサービスをシェアする、アソシエーションの取り組みがコミュニズムにつながります。たくさんの貨幣を持っている人が恣意的に決めるのではない、平等な社会をめざすのです。

少し極端な例になりますが、ウォール街占拠運動では、多くの人が座り込みを続けられるように、食事をみんなでつくったり、タバコを巻いて無料で配ったりしました。即席の図書館のようなものも運営され、医師や看護師などの免許を持っている人たちが無料で医療サービスも行いました。こうして、最低限の生活が成り立つような空間が金融資本主義の中心であるウォール街に生まれたわけです。第二章の松村圭一郎さんの言葉を使えば、商品交換ではない、贈与の次元を資本主義の内部につくり出すことで、資本主義に抗う主体性を形成しようとしたわけです。これが〈コモン〉です。

そして、この〈コモン〉を基礎として、平等な関係性が生まれ、意思決定のあり方も変わっていきます。具体的には、アセンブリ（集会）を開き、参加者が一堂に会して、議題を多数決ではなく、参加者が自由に意見を述べながら、全会一致で決めていったのです。〈コモン〉をみんなで管理するようになることで、「構想」と「実行」が再統一された。それによって「自治」の力が取り戻されて、民主主義の姿も変わった。この順序が大切なので、強調しておきましょう。

そのような水平的な直接民主主義にもとづいた反資本主義活動が突如出てきたことは、世界に大きな衝撃を与えました。ネグリたちはウォール街占拠運動を非常に高く評価し、その後刊行した『叛逆《はんぎゃく》』で「政治活動の新たな可能性を切り拓《ひら》いた」と讃《たた》えました。[*8] 同じように、文化人類学者デヴィッド・グレーバーも著書『デモクラシー・プロジェクト』で、「これまでの人生で目にすることのなかった経済的正義を希求する真の草の根運動がアメリカで生まれた」と振り返っています。[*9]

世界的には、その後、カリスマ的な指導者のいない運動がある種の常識として根づくようになっていきます。「ブラック・ライヴズ・マター」然《しか》り、「フライデーズ・フォー・フューチャー」（未来のための金曜日）然り。そこには、前衛党もなければ、マルコムXやキング牧師のような指導者もいません。気候と生態系の危機への対策を求める、イギリスの「エクスティンクション・リベリオン」（絶滅への叛逆）やドイツの「エンデ・ゲレンデ」（地の終わり）も同じです（一方、日本にとって二〇一一年というのは東日本大震災の年であり、ウォール街占拠運動は話題になったものの、その本質的な受容はなされなかったというのが現実です。そのことは、二〇二三年にメディアを賑《にぎ》わせた日本共産党による除名問題の硬直性からもわかるでしょう）。

▼ルールとリーダー不在の素朴政治？

しかし、ウォール街占拠運動が、本当にそれほどまでに賛美されるべきものだったのかという批判も出ています。要するに、ただ美化しているだけではないかというわけです。以下では、代表的な批判を三点ほど紹介しましょう。

第一に、ウォール街占拠運動が本当に「九九％」の人々の運動になっていたのか、という疑問が出されています。社会学者へザー・マッキー・ハーウィッツが当時の参加者たちにインタビューを重ねたところ、判明したのは、経済的・時間的な余裕のある人々が、ウォール街占拠運動の中心になっていたという事実です。[*10] 貧困層よりミドルクラス、女性より男性、黒人より白人が運動に関わる余裕があるのは、容易に想像できます。また、逮捕される可能性のある運動に参加できるのは、特定の人だけです。その結果、ホワイトな中産階級男性の運動になってしまう傾向があったにもかかわらず、そうでないマイノリティの声を反映するための仕組みやルールが不在でした。

確かに、ウォール街占拠運動では、みんなで集まり水平的に自分たちの意思決定を行おうとしており、その意味では、真に自由で公平な社会を築くための集会＝「アセンブリ」モデルをめざしていたのでしょう。しかし実際は、「九九％」というスローガンを掲げながら、「九九％」のなかに存在している格差を不可視化していたというのです。

ふたつめの批判は、直接民主主義の過剰な理想化に対する疑問でした。みんなの意見を聞いて、全会一致で運営するためには、あまり規模が大きすぎてはいけません。けれども、国家ですら立ち向かうのが大変な、グローバル資本主義という巨大な敵を相手にしながら、公園で抗議したり、「アセンブリ」などの新しい民主主義の手法を試しても意味がないという声があがったわけです。

たとえば左派加速主義のニック・スルニチェクとアレックス・ウィリアムズは、近年の社会運動における小規模の直接民主主義への固執を「素朴政治」（フォーク・ポリティクス）と呼んで痛烈に批判しました。[*11] 気候変動などの大きな問題を前にして、直接民主主義に適した大きさにあえて留まろうとする運動は、結局失敗に終わるという声は根強くあります。

第三に、ネグリたちが賞賛する水平的ネットワーク型の運動という形にも問題があると、政治学者ジョディ・ディーンが批判しました。水平的な運動は、バラバラな意見を取りまとめることができず、結局、資本主義に代わるような新しい仕組みを提示することもできない、と。[*12]

確かに、ウォール街占拠運動は資本主義的な原理で動くわけではない空間を一時的にはつくり出しました。けれども、運動がつくり出したものを持続させることはできなかった。それは、「リーダーなき」水平主義にこだわったせいで、全体を取りまとめて既得権益層と交渉したり、新しい制度をつくったりすることができない仕組みに留まったからだと言うのです。

▼リーダーと大衆の逆転

ハーウィッツらの批判には一定程度の説得力があります。実際、ウォール街占拠運動は資本主義を変えることなく、最終的には警察の介入によって解散させられ、敗北したのです。その敗北を踏まえると、誰もが平等に参加できるルールを意識的につくるとともに、小規模の直接民主主義という幻想を捨てるべきでしょう。さらに、完全に水平的な運動というモデルをも見直す必要があるわけです。

それゆえ、ウォール街占拠運動の後、社会運動の側も新しい形を模索するようになっていきます。また、それに合わせて、ネグリとハートも自分たちの立場を変更していきます。特に、二〇一七年に刊行され、二二年に日本でも翻訳が出て注目された『アセンブリ』を読めば、〈帝国〉三部作や『叛逆』からふたりの主張が大きく転換していることがわかります。

その転換のひとつが、「水平的ネットワーク」だけでは素朴政治になってしまうという批判を受け入れたことです。そして、ネグリとハートは『アセンブリ』のなかで、素朴政治を乗り越えるために、リーダー（指導者）のもとで、「制度化」や「組織化」を行う必要性をはっきりと認めるようになります。つまり、資本主義を変えるためには、法制度の変更が必要だし、そのためには、大衆の組織化が求められると言うのです。

ただ、それは二〇世紀型の政治に回帰することではもちろんありません。また、日本のリベラル派のように、野党共闘で「上からの」改革を行う夢を抱くことでもないのです。ネグリたちはむしろ、リーダーとフォロワー（追従者）、ストラテジー（「戦略」）とタクティクス（「戦術」）の関係を逆転させる議論を展開するのです。[*13]

どういうことか、見ていきましょう。二〇世紀型の民主集中制では、指導者が長期的な「戦略」を練り、命令し、大衆運動がそれに追従しながら、現場の短期的「戦術」を担うという上意下達の関係が存在しました。この関係を維持するためには、強いカリスマ的なリーダー（レーニン、毛沢東、チェ・ゲバラ、マルコムXなど）が必要になります。裏を返せば、組織内部には、平等も「自治」も存在しません。しかし、先にも述べた通り、そのような体制では平等な社会がつくれるはずはありません。

そこでネグリたちが言ったのは、大衆のほうが先に「戦略」を考え、政治家やリーダーたちがそれを実現させる「戦術」を考えるという、「逆転」の方法です。本書の読者にとってわかりやすい例で言えば、岸本聡子さんの区長選挙です。先に市民がつくった政策集があり、これが区政をどうするかという「戦略」にあたります。一方、「戦略」をいかに実現させていくかという「戦術」は、区長となった岸本さんが担っています。

重要なのはあくまでも、主導権が大衆の側にあるということです。逆に、指導者はその時々に担ぎあげられる存在にすぎません。指導者は代表として交渉したり、新制度の制定に尽力したりするけれど、それは、大衆の要求に突き動かされてのこと。そうでなければ、上下の関係が固定化してしまうでしょう。

▼水平ではない「斜め」の関係を

ネグリたちの議論は、第五章で松本卓也さんが言っている「斜め」という関係とも親和性があります。旧来の精神科病棟における医師たちの権威主義は否定されなければならない。医者が上、患者が下という垂直的な関係は当然、批判されるべきものです。しかし、それは病院を解体して、精神疾患の治療をやめ、患者たちを放置することでもない（これはウォール街占拠運動のやり方です）。むしろ、患者の主体性を否定することなく、「べてるの家」のように、「斜め」の共同性を築いていくことをめざすのです。

二〇世紀型の垂直的政治への対案として生まれたウォール街占拠運動のような水平的運動は、組織化や制度化そのものを上下関係や支配従属と同一視してしまったことに躓《つまず》きがありました。

そのせいで、組織の内部に不平等が持ち込まれ、具体的な要求をまとめることもできず、資本主義の既得権益層（エスタブリッシュメント）に立ち向かうことに失敗し、新たな社会の制度をつくることができないままに敗北したわけです。そこを打破するのが、この「斜め」という「第三の道」なのです。

とはいえ、これだけでは、まだ抽象的に感じるかもしれません。具体的にイメージするためには、なぜネグリとハートがこのような理論的転換をしたのかをきちんと理解する必要があります。実は、この間に現実の実践の側における転換が、先にあったのです。ネグリたちの理論的転換は、実践的転換の結果なのです。

▼現場の模索がミュニシパリズムを生んだ

実践的転換としてまず参照したいのが、ハートも詳しいスペインの動向です。スペインでもウォール街占拠運動と似たような運動として、「怒れる人々」が中心となった「15M運動」という広場占拠運動が二〇一一年にありました。当時のスペインも若者を中心とした高失業率や緊縮財政に苦しんでいましたが、ギリシャ危機の最中でのEU批判の波に乗って、この運動は大きな広がりを見せていきます。

市民の不満の受け皿として、「ポデモス」というパブロ・イグレシアスを代表とする新しい政党が国政選挙で躍進し、政権を取るまでになったのは、皆さんもご存じでしょう。

キア・ミルバーンという政治学者は、これを「選挙への転回」と呼びます。[*14] 座り込みをするだけでは、社会は変わらないという現実に直面し、その結果、選挙で勝つことがめざされるようになったからです（たとえば、同時期にアメリカでは、サンダースが大統領候補として台頭し、イギリスでコービンが労働党の党首になったりしました）。これはスルニチェクによる素朴政治批判への実践的応答でもありました。

ところが、ポデモスもうまくいかなくなってしまいます。政権獲得をめざすなかで、選挙で勝つことが最優先されるようになり、政党の規模が大きくなってくると、党内で派閥ができたり、権力闘争が生まれたりしてしまう。やがて、より穏健派路線のイニゴ・エレホンがイグレシアスと対立するようになり、エレホンが辞任することで、ポデモスは実質的に分裂したのです。そして、選挙でも、かつてのような党勢が見られなくなっていきます。

この帰結は15Mが、さまざまな立場を超えた多様な参加者たちによる運動だったことを考えればやむをえないことだったかもしれません。けれども、自分たちの声を届けるための政党が、結局、これまでの既成政党と変わらない、権力争いや選挙ゲームをしているのを看過することはできません。だからといって、民主集中制の時代に戻るわけにもいきません。

そうやって悩んでいるうちに、気がついたのです。いきなり国政政党をつくっても、これまでと同じことが繰り返されるだけではないか。政治家たちは、自分たちの意見を聞くよりも、権力闘争や選挙戦に夢中になってしまう。これでは、市民による「自治」は育っていかないのだ、と。

そこで、さらなる運動の方向転換が起きます。いきなり国政選挙をめざして、国のあり方を変えるのではなく、まずはローカルな自治体を変えようという動きが出てきたのです。地方自治体程度の規模であれば、市民たちの意見も反映されやすい。それに、自分たちの暮らしや地域の問題を解決するのであれば、むしろ自治体における議会や首長のほうが大切なわけです。

そして自分たちのなかから立候補者を選び、地域を変えていこうという動きが、マドリッドやバルセロナで台頭していきます。特に、バルセロナでは、「バルセロナ・エン・コムー」（英語名バルセロナ・イン・コモン）という市民プラットフォームが立ち上がり、アダ・クラウという社会活動家が二〇一五年には市長として当選するまでになったのです。

第三章で岸本聡子さんがこのことを詳しく紹介しているのは、偶然ではありません。これが「ミュニシパリズム」（地域主権主義）と呼ばれる動きであり、それが今、ヨーロッパを中心にして、都市やそこで暮らす市民の国際的なネットワークを形成するようになっているのです。

その流れは、杉並区長になった岸本さんの運動にもつながっています。選挙戦では、地べたに座って、聴衆からの区への要望に耳を傾ける岸本さんの姿勢が評価され、大きな後ろ盾がないにもかかわらず、当時の現職区長との接戦を制する結果になったのです。

繰り返しになりますが、岸本さんを擁立した「住民思いの杉並区長をつくる会」は、既存の政党や労働組合などが選挙公約をつくったわけではなく、市民たち自身が先行して政策集をまとめあげ、岸本さんが候補者になってからは「区長は何をめざすべきか」を一緒に煮詰めていきました。広場を占拠するだけという素朴政治から脱した運動、つまりミュニシパリズムが、世界各地で、そして日本でも花開こうとしているのです。

▼リーダーフルな運動を育てる

ミュニシパリズムだけではありません。ここでもうひとつ重要なのが、水平的運動として広く知られる「ブラック・ライヴズ・マター」の創設者のひとりだったアリシア・ガーザの思想です。彼女は『世界を動かす変革の力』という著書で、リーダー的な存在が大勢いる、「リーダーフル」な組織をつくっていこうと提唱しています。つまり、「リーダーはひとりではなく、大勢いる」ことが重要なのです。[*15]

彼女の起こす運動の基礎にあるのは、「コミュニティ・オーガナイジング」というアメリカでは広く知られる方法です。その考えによれば、レーニンや毛沢東のように突出したリーダーがひとりで指揮する組織では駄目。運動に参加する人々の中から何人ものリーダーが生まれるような組織をつくっていくことをめざすのです。もちろん、運動の組織化ができるリーダーのひとりとなるにはスキルや資質が必要ですが、そうしたリーダーを数多く、あえて育て、つくっていくような運動が高く評価されるのです。そうやって初めてトップダウン型ではない運動が可能になり、地べたからの民主主義が生まれてくるからです。具体的には、コラムで書いた神宮外苑の再開発反対運動（一一六頁参照）が、日本でも芽生え始めているリーダーフルな動きのひとつでしょう。各人が自分の得意分野で組織化を進めています。

ネグリとハートもガーザの議論を参照しながら、リーダーフルな運動の利点を強調し、『アセンブリ』日本語版への序文でも次のようにつづっています。

それ以上に重要なのは、指導者《リーダー》の欠如が組織（化）の欠如を意味するものではないという点を理解することだ。いわゆる「指導者なき《リーダーレス》運動」は、自然発生的なものでは決してなく、高度に組織されたものなのである。[*16]

これはディーンからの「リーダーなき、水平的な運動はバラバラになってしまい、うまくいかない」という批判への応答でもあります。ウォール街占拠運動は確かにリーダーは不在だったけれど、自然に発生した運動ではなかった。むしろリーダーフルな組織化による「斜め」の運動だったのだと。それを人々が意識的に生み出せたのは、アメリカのコミュニティ・オーガナイジングの伝統があってのことだったのです。

リーダーフルな運動は党が主導する前衛党型の運動ではない、かといって組織を持たない単なる連帯とも異なる、新しい社会運動の形態です。その運動の形は、人権運動や環境運動だけでなく、協同組合や労働組合、ＮＰＯやＮＧＯにも広げていくことができるでしょう。

ただし、ここで注意をしなければならないのが、リーダーフルな状況や組織を増やすだけでなく、誰もが参加できるような民主的な組織形態をしっかりと自分たちでつくらなければならないということです。ハーウィッツの批判を思い出してください。ウォール街占拠運動の時のように、社会の差別や不平等が運動内部にそのまま持ち込まれないようにするためには、自分たちで意識的に、民主的なルールを決める「自治」の実践が重要になります。つまり、意識的な「自己立法」こそが「良い」自治に欠かせないのです。

▼「他律的な社会」を乗り越える自己立法

この「自己立法《オートノミー》」と「自治」についてもう少し考えるために、哲学者コルネリュウス・カストリアディスの「自律論《オートノミー》」を紹介しましょう。哲学・政治経済学・法学・精神分析学と広範な知識を持つ彼の思想は、民主主義や脱成長の議論にも多大なる影響を与えてきました。

カストリアディスは言います。宗教も伝統も環境も、人間が自分たちでつくり出したものとして反省できるのが近代の自律の特徴である。ところが、規範や規則や法を、神や自然、歴史、先祖などによって与えられたものとみなしてしまう社会が今でも多い。そんな社会は、他律的な社会である、と。

こうした他律社会批判は、経済システムにも、もちろん当てはまります。資本主義も人間がつくった社会システムであるにもかかわらず、私たちは商品や貨幣に振り回され、資本主義のあり方を無批判に受け入れるようになっている。これは、他律社会にほかなりません。

では、他律と対比される自律とは何でしょうか。自分たちに積極的な制限＝「セルフ・リミット」を課すことが自律である、とカストリアディスは定義しています。[*17]

▼「人新世」に必要な自己制限

「自律」は、「自己制限」とは一見、馴染まないもののように思えます。自分で決めるという意味の「自律」という言葉は、「自由」と結びつけて考えられることが多く、一方、「自由」は「制限」の反対語であるからです。つまり、一般的に考えられている「自由」とは、制限の不在としての自由です。

しかしカストリアディスは、こう考えます。そのような自由は（制限がないという）消極的な自由にすぎない。論理的に言って、制限がなければ自由の中身は、なんでも良いということになる。つまり制限なき消極的な自由は、単なる動物的欲望の増幅、場合によっては他者の抑圧や自然の破壊に結びついてしまう。そう彼は警告します。

彼によれば、強制のないなかで、自分たちで物事を決めるというだけでは自律的自治にはならないのです。むしろ、既存の規範を絶えず問い質《ただ》しながら積極的に自己制限を行うこと、それも個々人がバラバラにではなく、ルール化という立法行為によって人々が「集団的」に規制していくことが重要です。

これこそが、従来のリベラリズムとは異なる自由の形です。自分だけの視点を捨て、意見の異なる他者との共生を考慮した制限を課していく。自分より弱い立場の人間のことを、常に念頭に置くことで、ともすれば増幅しかねない差別意識に歯止めをかける。これが民主主義と自律的な制限を同時に成立させるカギでしょう。

逆に、自己制限なしには、自由全体が意味を失ってしまうでしょう。無限の成長を前提とする資本主義に制限をかけなければ、格差は拡大し、地球環境は劣化していき、「はじめに」で指摘したように、「人新世」の複合危機は深まります。そうなれば、国家は緊急事態を理由に私たちの自由を制限する。つまり民主主義が否定されることになりかねない。だからこそ、民主主義は自己制限を必要とするのです。

▼絶えざる自律と他律の循環

カストリアディスの議論でもうひとつ注目したいのが、自律と他律は対立する概念ではないという指摘です。たとえ、自分たちでルールをつくった(＝自律)としても、それは時間が経てば、自明視されるようになり、固定化していき、他律へと転化していく……。これは、革新勢力が時が経つとともに、保守化していく一因です。

けれども、他律化を恐れて、あらゆる立法や制度化そのものを拒否する態度は誤っています。他律化を恐れずに私たちは絶えず問い直し、知や規則を自律的につくり続ける必要があるとカストリアディスは訴えるのです。

たとえば、科学の知見を参考にすることはもちろん重要ですが、ただ科学者の発言を鵜呑《うの》みにしてしまうだけなら、やはり他律になってしまいます。原発を使うべきか、脱炭素をどれくらいの速度で実現すべきか、社会保障の財源をどうすべきか。「何が正しい答えか」は、専門家が一義的な答えを出せる問題ではありません。だからこそ、多種多様な人々が平等に参加できる場で、反省的に絶えず問題をとらえ直していく自律的実践が重要です。

市民科学を扱った第四章で、科学リテラシーに依拠した自律と「自治」を政治や社会の文脈にまで広げるという木村あやさんの議論がありましたが、そうした考え方は、他律化のリスクとまさに関連します。

▼他律的なアソシエーションを避けるために

さらにカストリアディスは、立法や制度化そのものを拒否してはならない理由についてこう述べています。人間は絶えず集団として、社会の善をめぐって自分たちの規範や価値観を反省し、その誤りや欠点を超えた新しい制度をつくり続けていく自由な存在だからだ、と。

第六章で藤原辰史さんが、「自治」は「迷い」である、と書いています。試しては修正を加え、新しいものをやり直す。「自治」につきものの試行錯誤を、絶えざる自律と他律の反転という形でとらえたのが、カストリアディスだと言っていいかもしれません。

この不断の自己吟味が重要なのは、冒頭で触れた宗教セクトや排外主義運動、陰謀論政党などが、他律的なアソシエーションにすぎないということと深く関連します。自分たちの主張内容や内部での権力関係、外部に対する排他性などを十分に反省しない集団は、もはや所与の価値観に支配されるだけの他律的存在でしかないからです。

それに対して、カストリアディスの掲げる集団的自律は、次のようなものです。

集団的自律とは、すべての市民が立法、統治、判断、つまり社会の制定に、平等かつ効果的に参加できる社会のプロジェクトである。[*18]

つまり、集団的自律とは、万人に開かれつつ、そのなかで人々が新しい社会をつくっていく不断の過程なのです。そのような自律のあり方は、実現が保証されたものではありません。意識的につくり出さないといけない「社会のプロジェクト」なのです。

▼「自治」におけるアントレプレナーシップ

もちろん、そのようなプロジェクトにだって、危険性はあります。立法化・制度化をすることによって、すべての市民たちの手から離れて、政治や制度が自立化・他律化してしまうリスクがあるからです。

先にも述べたように、スペインのポデモスは、制度化が進むにつれ、自らを生み出し支えてきた社会運動を切り離し、政党自身で決定を行う仕組みに転じようとする傾向が出てきました。こうした党の指導層を社会運動から分離するメカニズムは、「ポピュリズム」に結びつく、とネグリたちは断じています。社会運動に根づかない選挙のための人気集めは、トランプやボリス・ジョンソンが行ってきたポピュリズムと本質的に変わらないからです。

政治の他律化を回避し、「自治」を取り戻すには、どうすればいいのでしょうか。これが本章冒頭の問いでした。この点について、ネグリとハートは、「アントレプレナーシップ」が欠かせないと強調しています。[*19]

ここで言うアントレプレナーシップとは、いわゆる資本主義における起業家精神ではありません。むしろ、資本主義を超えた新しい社会をつくる、マルチチュードの「自治」のための能力のことです。つまり、このアントレプレナーシップは〈コモン〉を自分たちで管理していく能力やそのための組織をつくる能力のことです。そこには、商品や貨幣への依存に打ち克つ行動力も含まれます。

本章の前半を思い出してください。私たちが「自治」の能力を失っている大きな原因は、資本主義にありました。資本主義による分業化が進み、労働者としての私たちは、自ら「構想」する機会を奪われ、資本の命令に従って「実行」するだけ。自律性を奪われています。労働の場以外でも、貨幣の力に振り回され、レベルの低い自由の中でうたた寝をし、「魂の包摂」に無頓着になっています。「構想」と「実行」の分離によって、従属するだけの存在になっているのです。

「自治」を取り戻すためには、どこかで「構想と実行の再統一」を実現し、自主性を取り戻す必要がある。この「構想」する力が、アントレプレナーシップです。この能力こそが、リーダーフルな市民の「自治」を可能にし、政治が市民から切り離されるのを防ぐのです。

▼経済の領域が変わると、政治が変わる

では、「自治」を可能にする、このアントレプレナーシップの能力は、どこで養うことができるでしょうか。この能力を養うのが政治の領域ではないという点が、非常に重要です。議会での対立や政党内の派閥争いなどからはアントレプレナーシップは出てこないとネグリたちは言います。これこそ、私の言葉を使えば、ネグリたちによる「政治主義」批判なわけです。

議会政治だけでは、「構想」と「実行」は分離されたままで、社会も変わらないのです。むしろ、アントレプレナーシップの能力を養うには、経済、つまり生産の次元を変えなければならないというのが、マルクス主義者であるネグリたちの見解です。ただし、生産と言っても、それは工場に限られる話ではありません。先に触れたように、〈帝国〉の「生政治的生産」は工場には限定されません。けれども、そのことを逆手にとって、私たちは、工場以外の場所からも、アントレプレナーシップを養い、生政治的生産を打破する〈コモン〉の領域を増やしていくことができるはずなのです。

たとえば、ウォール街占拠運動のような抗議活動におけるさまざまなクリエイティブな試みも新しい社会をつくろうとするアントレプレナーシップの現場です。もっと身近なことで言えば、近所の公園の再開発に反対したり、市民科学の運動に参加することもそうです。

あるいは、コラムで取り上げた「抱樸」の奥田知志さんもその能力をいかんなく発揮しているひとりでしょう（一九二頁参照）。奥田さんたちの活動を例にすれば、長年の野宿者支援のなかで、次にどんな手を打つべきなのか、問われることの連続だったでしょう。つまり新しい方策を「構想」し、「実行」することの繰り返しです。このように「構想と実行の再統一」が果たされることで、奥田さんのようにアントレプレナーシップが磨かれていくのです。

そして、アントレプレナーシップを磨くことで、私たちは、〈コモン〉を資本主義から取り戻せるようになっていきます。教育、医療もそうですし、社会的インフラとしての水や電気、公園や図書館、それに付随するさまざまな知識や文化も〈コモン〉として、誰にも開かれた形で共同管理できるようになっていくでしょう。

この〈コモン〉の再生や共同管理を通じて、人々が実質的に意思決定に参加し、統治や制度化というプロセスに携わっていく。そうすることで、私たちの主体的なアントレプレナーシップがさらに磨かれ、「構想の実行の再統一」も実現されていく。この循環のなかでより民主的な政治が生まれ、新しい社会の可能性があらわれてくるでしょう。

第二章で松村圭一郎さんが紹介している「店」での事例も、単に受動的な消費者であることをやめ、商品交換の論理に解消されない他者との関係性を生み出すという意味で、その身近な第一歩と言えるはずです。他者との関係性のなかで、「構想」力としてのアントレプレナーシップは生まれます。そこから、社会をつくる主体性が形成されていく。そのなかには、政治に参画する主体性ももちろん含まれます。

ポイントは、〈コモン〉による経済の民主化が政治の民主化を生む、ということです。つまり、政治が変わることで社会が変わるという「政治主義」的なモデルとは正反対に、〈コモン〉の領域が変わることで政治も変わる。これが私も支持する、ネグリたちの変革戦略です。

裏を返せば、〈コモン〉を再生していくことなしに、資本主義による「魂の包摂」から「自治」を取り戻すことはできず、いつまでも「政治主義」に囚われたままでしょう。一見、遠回りに見えても、〈コモン〉を取り戻すことが、政治の「自治」を取り戻すことにもつながるのです。

▼「自治」は〈コモン〉の再生に関与していく民主的なプロジェクト

ここまでの議論をまとめましょう。資本主義は一握りの人々に富を集中させ、私たちを無力な消費者にすることで、「自治」の実現を妨げてきました。それに対抗しようとした、二〇世紀型の社会主義も福祉国家も市民たちの「自治」を実現できなかった。現代の反緊縮派も同じです。本章で提示しようとしたのは、垂直型の政治や運動に代わる新しい形の参加型「自治」に向けた、二一世紀の理論と実践の可能性です。

そのカギとなるのが、万人が〈コモン〉の再生に関与していく民主的なプロジェクトです。それこそが、マルチチュードのアントレプレナーシップという形での「構想と実行の再統一」を実現し、「自治」の領域を拡げていくでしょう。

そこに二〇世紀型の前衛党はいりません。〈コモン〉が可能にする平等をもとにして、市民が積極的に参加しながら、社会を共につくっていけばいいのです。みんなが必要とするもの、つまり〈コモン〉の管理は、右や左、保守や革新といったイデオロギーを越えた協働を生むでしょう。それが民主主義の基礎になります。

ただし、そのような「自治」の民主的実践に求められるのは、単に水平的な関係ではなく、組織化や制度化をめざす「斜め」の関係です。この「斜め」の関係は社会運動にも、地域社会のミュニシパリズムにも、もっと大きなレベルにも当てはまります。

リーダーフルなマルチチュードによるみんなの「自治」は、組織化や制度化を絶えず反省しつつ、新しい社会を生み出していきます。これはユートピアではなく、世界でも、日本でも萌芽の出てきている二一世紀のコミュニズム（コモン型社会）のプロジェクトです。そして、そうした「自治」の実践こそが、資本主義の暴走から民主主義を守るための道なのです。「はじめに」でも述べたように、その動きは、最初は小さくてもかまいません。三・五％の人間がリーダーフルな存在になれば、今私たちが想像するよりもずっと大きく、この社会は変わるでしょう。その意味で、「〈コモン〉の自治」こそが「希望なき時代の希望」なのです。

おわりに――どろくさく、面倒で、ややこしい「自治」のために

松本卓也

本書のテーマである「自治」という言葉の重要性を私が認識したのは、二〇一九年六月のことであった。それは、『未来への大分岐』[*1]の刊行を準備していた斎藤幸平氏と、シャンタル・ムフの『左派ポピュリズムのために』[*2]の翻訳を上梓したばかりの山本圭氏（立命館大学准教授）を、私が勤める京都大学に招き、トークイベントを開催したときのことである。

当時からすでに〈コモン〉――すなわち、社会的に人々に共有され、管理されるべき富――の重要性を説いていた斎藤氏の議論は、「古い」とされがちなマルクスから出発しながらも、鮮烈な「新しさ」を放っていた（そのことは、後に斎藤氏の『人新世の「資本論」』[*3]が爆発的にヒットし、広範に受容されたことにもうかがえよう）。ディスカッションも白熱した。「左派ポピュリズム」が示す具体的な戦略のなかで、いかにして〈コモン〉を再生していくのかが討議された。そのとき、「コモンって、『自治』のことですよね」とフロアから力強く発言したのは、当時の大学院生で、京大・吉田寮の自主管理に関わっていた杉谷和哉氏（現在は岩手県立大学講師）

であった。

〈コモン〉とは、「自治」のことである――この言葉は、新しい装いであらわれた〈コモン〉という言葉を、もう一度過去の歴史や記憶につなぎなおすものであるように思われた。トランプ現象に前後して、ポピュリズム、ヘイトスピーチ、ＳＤＧｓ……といった「新しい」カタカナ語や横文字がつぎつぎとあらわれていた時代である。もちろん、そのような「新しい」言葉は人々の関心を生み出した。けれども、異国から突然やってきたヒット曲のように、そのときどきに消費され、ブームが去れば誰も気にとめなくなり、いつか忘れ去られる言葉になってしまうかもしれない。

対して、「自治」は古い言葉である。そして、私たちの（そして私たちに先行する世代の）さまざまな実践と闘争の記憶につながることができる言葉である。「自治」だけで足りないなら、「自主管理」と言い換えてもよい。これらの言葉は、賞味期限という点では切れかけているのかもしれないが、それでも、耳触りがよいだけの新しい言葉よりも、あらためて咀嚼《そしゃく》することを必要とする言葉である。

だとすれば、〈コモン〉とは「自治」のことだ、と考えてみることによって、さまざまな現場における〈コモン〉に触れ、そのざらりとした触感を味わうことができるのではないか。「自治」は、経験の共有と他者との対話を重視するという点では流行りの〈ケア〉という言葉に似ているけれども、「上から」の管理に抗し、水平的な相互依存からだけでなく相互の摩擦や軋轢《あつれき》からも何事かを立ち上げようとする点では〈ケア〉と異なっている。〈コモン〉としての「自治」は、〈ケア〉よりもずっといかがわしく、ときに転覆的でもありうるのだ。そして、「自治」を維持していくことは、思いもよらない新しい実践の起爆剤となるかもしれない。

たとえば件《くだん》のトークイベントのような催しを行う際には、告知のためにチラシを貼ることが必要となる。京都大学では、学生が自主管理している（のだと思う——少なくとも、大学内のどこかの公的な組織が掲載・不掲載を決めたり、貼られているものを剝がしたりしているのではない）掲示板がいくつかある。サークルの勧誘や、講演会やイベントのチラシから学内外のさまざまな事柄についての政治的な声明に至るまで、実に多種多様なチラシが自主的に貼られ、剝がされている（今のところは——というのは、同様の機能をもっていた立て看板は、二〇一八年以降撤去され続けているからだ）。

もっとも、そのような「自治」がつねにうまくいっているというわけではない。ときどき、トラブルもあるようだ。貼ってあるすべてのチラシを剝がして、特定のサークルやイベントのチラシで掲示板を埋め尽くす……といったことが起こる。どうかと思うような内容のチラシもある。そんなときは、サークル同士や、掲示板を利用する人々のあいだでの話し合いが必要となる。もちろん、そんな話し合いは、どろくさく、面倒で、ややこしい。ややもすると、ひとは「管理」を求めてしまうかもしれない。つまり、チラシの掲載・不掲載を「上から」管理してもらうことを求めてしまうかもしれない。けれども、そんなことをしてしまえば、自由にチラシを貼ることができる「自治」は一瞬にして消滅してしまうだろう。

だとすれば、「上から」の管理の要求に抗して、対話をつづけることが「自治」の条件となる。

当然、大学の外でも同じだ。社会的に人々に共有され、管理されるべき〈コモン〉とはそんなふうにして苦労を重ねながらずっと維持されつづけてきた「自治」の賜物であるのだ。

*

本書は、「自治研究会」と題された研究会のなかで、各章の著者がそれぞれの現場の「自治」論をもちより、討論を行って完成させたものである。編者らの狙いどおり、このキーワードを立てることによって、実に多種多様な現場における「自治」のあり方が浮き彫りになったように思う。

最初の二つの章は、現代における「自治」の衰退を確認した上で、「自治」の再生のための希望を示す章である。第一章は政治学者、白井聡氏の担当だ。ここで取り上げられる「教授会自治」「学生自治」の歴史と現状についてのサーヴェイは、大学という本来は自治的であったはずの空間が、新自由主義的再編によって反‐自治的なものとなり、その結果として学生や教職員を孤立化・無力化させていることを浮き彫りにする。とは言っても、「自治」は衰退しているばかりではない。

第二章では、商品交換の場である商店における「自治」が取り上げられる。商店は、商品が売り買いされ、利潤が追求されるという点においては経済的取引の場にすぎず、いっけん「自治」とは無縁なもののように考えられるが、実際にはそのすきまに小さな共同性が芽生えており、そのようなすきまの「自治」の存在がひとを生き延びさせてくれることを教えてくれる。文化人類学者の松村圭一郎氏らしい視点だ。

つづく四つの章は、「自治」を「当事者になること」の実践として捉えるものであると言えるかもしれない。第三章は、杉並区長の岸本聡子氏が執筆した、公共政策や地方自治という、文字通りの「自治」の現場からのレポートである。政治の話となると、すぐに国政や政局や立法の話になってしまいがちであり、そのせいか当事者意識をもてずに、「上から」の管理を黙認したり、はたまた要求してしまうことも少なくない。けれども、自分の身の回りにある問題をいかに「自治」していくかを考え、〈コモン〉を取り戻していく活動は、政治をぐっと身近なものとしてくれるとともに、私たちそれぞれが当事者になることを可能にしてくれるだろう。

社会学者の木村あや氏による第四章は、そのような身近な問題についての「自治」の実例を提供してくれる。二〇一一年の原発事故後の市民科学の活動を紹介するとともに、そのような「自治」の活動が当事者を水平的に結びつけることの重要性が説かれる。

第五章の拙稿では、精神病院という現場における「自治」すなわち自主管理の要求とそれ以後の実践の記憶が、現代における精神医療の倫理をかろうじて担保しており、患者や治療者やスタッフがそれぞれ当事者になることを可能にしていることを指摘している。

第六章は歴史学者の藤原辰史氏の手によるものだ。農村自治という具体例をもとに、「自治」が魅力的なものであるだけでなく、ファシズムや新自由主義的な統治へと反転してしまう可能性をもつものでもあることが論じられる。「自治」は、そのような危険性を感じ取りながら、「迷い、考えること」をつづけるなかではじめて可能になるものであるという指摘は、これらの四つの章を総括する言葉となっている。

最終章は、斎藤幸平氏が社会変革の観点から「自治」を論じている。「自治」について考えるなら、「上から」の(垂直的な)トップダウン型の改革に希望をもつことはできない。「下から」の、つまりは市民の水平的な関係からこそ「自治」が可能になり、ひいては変革が可能になるのだ。けれども、水平的な関係が重要であるとは言っても、それだけでは足りない。水平的な関係にもとづく運動は、もしそれがリーダーなき運動になってしまえば、バラバラに解体してしまうだろう。しかし、「自治」とは、水平的であるだけでなく、組織化というちょっとした垂直化の契機をも含むものであって、その意味では水平的であるというよりは「斜め」の実践なのである。そうした新しい「自治」の実践こそが、複合危機の時代の「希望」であると斎藤氏は締めくくる。

理論と実践は、往復の運動だ。理論家は実践者から学ぶし、理論が磨かれることで実践の方向性はより明確になる。「自治研究会」を始めて以来、会のメンバーもそれぞれ「自治」の実践によりコミットするようになっていった。メンバーから杉並区長まで誕生したのも象徴的な出来事だった。

読者にとっても、〈コモン〉という言葉を、「自治」というさまざまな歴史と記憶をもつ言葉につなぐ本書の試みが、〈コモン〉の思想をより具体的な実践において捉えなおすためのヒントとなれば、幸いである。

註

はじめに

1 デヴィッド・ハーヴェイ『新自由主義――その歴史的展開と現在』渡辺治監訳、作品社、二〇〇七年。

2 新型コロナ・ウイルスだけでなく、今後もさまざまなパンデミックは続いていくだろう。乱開発により、森林の奥に存在していたウイルスと人間が接触する機会は格段に増えたし、グローバル化によってまたたく間にその感染は世界的に拡大していくからだ。その意味でパンデミックも「人新世」の危機のひとつだと言える。

3 「人新世」の危機について詳しくは拙著『人新世の「資本論」』（集英社新書・二〇二〇年）を参照されたい。

4 エリカ・チェノウェス『市民的抵抗――非暴力が社会を変える』小林綾子訳、白水社、二〇二二年。

第一章

1 朝日新聞GLOBE+「なぜ若者の政権支持率は高いのか　学生との対話で見えた、独特の政治感覚」二〇二〇年九月三〇日公開 https://globe.asahi.com/article/13770867（最終閲覧日：二〇二三年一月二〇日）

2 ベルナール・スティグレール『象徴の貧困――1.ハイパーインダストリアル時代』ガブリエル・メランベルジェ、メランベルジェ眞紀訳、新評論、二〇〇六年。

3 デヴィッド・ハーヴェイ『新自由主義――その歴史的展開と現在』渡辺治監訳、作品社、二〇〇七年、二七八頁。

4 荒川章二「日大闘争9・30大衆団交以後」国立歴史民俗博物館研究報告第二一六集（二〇一九年三月）

5 橋本昇「日大全共闘と敵対、学生用心棒からドンにのし上がった田中英壽――全共闘OBが述懐『半世紀前に似た状況、学生は声上げないのか』」：JBpress、二〇二一年十二月三日配信 https://jbpress.ismedia.jp/articles/-/67956?page=3（最終閲覧日：二〇二三年六月二〇日）

6 川口大三郎事件については、樋田毅『彼は早稲田で死んだ――大学構内リンチ殺人事件の永遠』（文藝春秋、二〇二一年）に詳しい。

7 産経新聞取材班『総括せよ！　さらば革命的世代』、産経NF文庫、二〇一八年、二一四～二二一頁。

8 東京大学大学院総合文化研究科・教養学部附属 共生のための国際哲学研究センター（UTCP）主催「柄谷行人さんに聞く～疫病、戦争、世界共和国～」二〇二二年七月三日開催

9 「東洋大が竹中平蔵氏批判立て看板設置学生に退学勧告」：『日刊スポーツ』オンライン、二〇一九年一月二四日配信 https://www.nikkansports.com/general/nikkan/news/201901240000879.html（最終閲覧日：二〇二三年一月二七日）

第二章

1 那須耕介『社会と自分のあいだの難関』編集グループSURE、二〇二一年、一一頁。

2 ゲオルク・ジンメル『貨幣の哲学』居安正訳、白水社、二〇一六年。

3 カール・マルクス『資本論（一）』向坂逸郎訳、岩波文庫、一九六九年、一五二～一五八頁。

4 同前、二九〇～三〇七頁。

5 同前、三〇六頁。

6 Appadurai A(ed.), The Social Life of Things: Commodities in Cultural Perspective, Cambridge University Press, 1986.

7 石賀美空「古着を取り巻く『人格的な関係』」（二〇二一年度岡山

大学文学部卒業論文）、二二一～二三頁。
8 同前、二四頁。
9 同前、二九頁。
10 生井達也『ライブハウスの人類学―音楽を介して「生きられる場」を築くこと』晃洋書房、二〇二二年
11 松村圭一郎『くらしのアナキズム』ミシマ社、二〇二一年、第六章。
12 ジャン・ボードリヤール『消費社会の神話と構造』今村仁司、塚原史訳、紀伊國屋書店、二〇一五年。
13 デヴィッド・グレーバー『アナーキスト人類学のための断章』高祖岩三郎訳、以文社、二〇〇六年。
14 石賀美空、前掲論文、三〇頁。
15 石賀美空、前掲論文、三〇頁。
16 ジェームズ・C・スコット『実践 日々のアナキズム 世界に抗う土着の秩序の作り方』清水展、日下渉、中溝和弥訳、岩波書店、二〇一七年、九四～一二一頁。
17 同前、一〇二～一〇三頁。
18 同前、一二〇～一二一頁。

コラム①

1 藤原辰史『縁食論――孤食と共食のあいだ』ミシマ社、二〇二〇年。

第三章

1 水貧困の世帯の定義は、水道料金が家計の収入の三％を超えるというものと、五％を超えるというものがある。前者の定義によれば全世帯のうち、一七・四％の世帯が水貧困に該当し、後者の定義によれば、六・三％の世帯となる。

2 ケア・コレクティヴ『ケア宣言――相互依存の政治へ』岡野八代、冨岡薫、武田宏子 訳、大月書店、二〇二一年、三八頁。
3 シンジア・アルッザ、ティティ・バタチャーリヤ、ナンシー・フレイザー『99％のためのフェミニズム宣言』惠愛由、菊地夏野訳、人文書院、二〇二〇年。
4 “The New Constitution in Chile：The Rights of Care Workers, the Right to Be Cared for,”Universidad Abierta de Recoleta: https://www.youtube.com/watch?v=H7RfS-6fTxg（last access on 2023.4.14）
5 “Over Six Hundred Proposals from Citizens for the Participatory Budgets,” Info Barcelona: https://www.barcelona.cat/infobarcelona/en/tema/participation/over-six-hundred-proposals-from-citizens-for-the-participatory-budgets_923661.html(last access on 2023.4.14)
6 「ミュニシパリズム」作詞・作曲／ブランシャー明日香 https://www.youtube.com/watch?v=eT37Bn2ElU0（最終閲覧日：二〇二三年六月一日）

コラム②

1 斎藤幸平『人新世の「資本論」』集英社新書、二〇二〇年。
2 青山真也監督、映画『東京オリンピック２０１７ 都営霞ヶ丘アパート』二〇二〇年。
3 47ＮＥＷＳ「亡くなった坂本龍一さん『音楽制作が難しい』体調の中で反対した神宮外苑再開発 『深呼吸し、スマホのカメラを向けることも多々あった』」二〇二三年四月一日公開 https://www.47news.jp/9137335.html（二〇二三年六月一日最終閲覧）

第四章

1 Kimura AH. Radiation Brain Moms and Citizen Scientists: The Gender Politics of Food Contamination after the Fukushima. Duke University Press; 2016.

2 Haklay M, Dörler, D, Manzoni M, Hecker S. What is citizen science? The challenges of definition. In: Vohland K, Land-Zandstra A, Ceccaroni L, et al., eds. The Science of Citizen Science. Springer Cham; 2021:13-33.

3 Wylie SA, Jalbert K, Dosemagen S, Ratto M. Institutions for Civic Technoscience: How Critical Making is Transforming Environmental Research. The Information Society. 2014;30(2):116-126. doi.org/10.1080/01972243.2014.875783

4 高木仁三郎『市民科学者として生きる』岩波新書、一九九九年。

5 真下弘征、上原祐一「地域における環境教育の在り方についての一考察：１９６０年代東駿河湾地域石油コンビナート開発問題における住民の環境学習運動に学ぶ」『宇都宮大学教育学部教育実践総合センター紀要』2010;33:289-297.

6 西岡昭夫、吉沢徹「清水・三島・沼津石油コンビナート反対運動住民組織の発展と学習会」『行政研究叢書』1968;1968(7):217-241.

7 中須正「環境運動における専門家集団の役割：三島沼津清水石油化学コンビナート反対運動の教訓」『実践女子短期大学紀要』2008;29:157～174.

8 Moore K. Organizing integrity: American science and the creation of public interest organizations, 1955-1975. American Journal of Sociology. Published online 1996:1592-1627.

9 Bonney R, Shirk J. Citizen science. In: Encyclopedia of Science Education. Springer; 2015:152-154. https://link.springer.com/content/pdf/10.1007/978-94-007-2150-0_291.pdf

10 Irwin A. Citizen Science: A Study of People, Expertise and Sustainable Development. Routledge; 1995.

11 Harding SG. Whose Science? Whose Knowledge?: Thinking from Women's Lives. Cornell University Press; 1991.

12 Keller EF. Reflections on Gender and Science. Yale University Press; 1985.

13 Wajcman J. Reflections on gender and technology studies. Social studies of science. 2000;30(3):447-464.

14 Smith LT. Decolonizing Methodologies: Research and Indigenous Peoples. Zed Books; 2005.

15 Allen BL. Strongly Participatory Science and Knowledge Justice in an Environmentally Contested Region. Science, Technology, & Human Values. Published online February 2018:016224391875838. doi:10.1177/0162243918758380

16 Mirowski P. Against Citizen Science. Aeon. 2017;(20 November). https://aeon.co/essays/is-grassroots-citizen-science-a-front-for-big-business

17 Shapiro N, Zakariya N, Roberts JA. Beyond the data treadmill: Environmental enumeration, justice, and apprehension. In: Toxic Truths. Manchester University Press; 2020. doi:10.7765/9781526137005.00030

18 Kimura AH, Kinchy A. Science by the People: Participation, Power, and the Politics of Environmental Knowledge. Rutgers University Press; 2019.

19 Kinchy AJ, Perry SL. Can Volunteers Pick up the Slack? Efforts to Remedy Knowledge Gaps about the Watershed Impacts of Marcellus Shale Gas Development. Duke Environmental Law and Policy Journal. 2012;22(2):303-339.

20 Blake C, Rhanor A, Pajic C. The demographics of citizen science participation and its implications for data quality and environmental justice. Citizen Science: Theory and Practice. 2020;5(1).

21 LewensteinBV. Is Citizen Science a Remedy for Inequality? - Bruce V. Lewenstein, 2022. Annals of the American Academy. 2022;700(1):183-193.

22 Proctor R. Value-Free Science?: Purity and Power in Modern Knowledge. Harvard University Press; 1991.

23 Proctor R. Cancer Wars: How Politics Shapes What We Know and Don't Know About Cancer. Basic Books; 1996. http://www.citeulike.org/group/656/article/940447

24 Proctor R, Schiebinger L. Agnotology: The Making and Unmaking of Ignorance. Stanford University Press; 2008.

25 Borda A, Gray K, Fu Y. Research data management in health and biomedical citizen science: practices and prospects. JAMIA Open. 2020 Apr. ;3(1):113-125. doi:10.1093/jamiaopen/ooz052

26 Blacker S, Kimura AH, Kinchy A. When citizen science is public relations. Social Studies of Science. 2021;51(5):780-796.

27 Ottinger G. Refining Expertise: How Responsible Engineers Subvert Environmental Justice Challenges. Paperback. NYU Press; 2013.

28 Gieryn TF. Boundary-work and the demarcation of science from non-science: Strains and interests in professional ideologies of scientists. American sociological review. 1983;48(6):781-795.

29 Kimura AH. Citizen science in post-Fukushima Japan: the gendered scientization of radiation measurement. Science as Culture. 2019;28(3):327-350.

30 Tarrow S. Power in Movement: Social Movements and Contentious Politics. Cambridge University Press; 2011.

31 McCann S. Law and Social Movements: Contemporary Perspectives. Annual Review of Law and Social Science. 2006;2(1):17-38.

32 Suryanarayanan S, Kleinman DL. Vanishing Bees: Science, Politics, and Honeybee Health. Rutgers University Press; 2016.

33 Stepenuck K, Green LT. Individual- and community-level impacts of volunteer environmental monitoring: a synthesis of peer-reviewed literature. Ecology & Society. 2015;20(3):8-23.

34 Blacker S. Strategic translation: pollution, data, and Indigenous Traditional Knowledge. Journal of the Royal Anthropological Institute. 2021;27(S1):142-158. doi.org/10.1111/1467-9655.13485

35 Kimura AH. Citizen science and social movements: A case of participatory monitoring of genetically modified crops in Japan. Sociological Review. 2021;69(3):580-602.

36 田中重好『共同性の地域社会学：祭り、雪処理、交通、災害』ハーベスト社、二〇〇七年。

37 竹元秀樹「自発的地域活動の生起・成長要因と現代的意義――宮崎県都城市『おかげ祭り』を事例に」『地域社会学会年報』2008;20:89-102.

38 Gitelman L. "Raw Data" Is an Oxymoron. MIT Press; 2013.

第五章

1 山崎豊子『白い巨塔』新潮社、一九六五年。

2 二〇〇六年の法改正により、現在では「精神科病院」と呼ばれるようになっているが、本章では歴史的文脈を考慮して、「精神病院」という当時の表記を使うこととする。

3 大熊一夫『精神病院を捨てたイタリア　捨てない日本』岩波書店、二〇〇九年、二四九頁。

4 もっとも、こういった強制入院や隔離、拘束が、必ずしもよくないものであるわけではない。たとえば、身体疾患などから意識障害になり、精神症状があらわれている場合など、身体の安全を守る目的でこれらの方法を使うことが必要なケースは確かに存在する。

5 国立精神・神経医療研究センター「平成29年度精神保健福祉資料（630調査）」https://www.ncnp.go.jp/nimh/seisaku/data/（最終閲覧日：二〇二二年四月一四日）

6 フェリックス・ガタリ『精神分析と横断性』杉村昌昭、毬藻充訳、法政大学出版局、一九九四年、九〇～九一頁。

7 東北大学精神科医局でも、医局講座制が抱える無給医問題、徒弟制度、関連病院への絶大な権力支配などへの批判から、一九六七年七月に「東北大学精神医学教室における教育・研究・診療その他に関しては構成員の総意に基づいて運営される」という盟約が結ばれた。つまり、教授を中心とするトップダウンではなく、民主的な運営がなされるべきだ、ということになったのだ。cf.浅野弘毅『精神医療運動史――精神医療から精神福祉へ』批評社、二〇一八年、一三二頁。

8 日本では、このような動きのなかで、七〇年代前半に前述の反精神医学の思想が輸入されてきた。ただし、日本の場合は、反精神医学の影響を受けた論者のなかでも、精神病院の（改善ではなく）廃絶に向かう者は少なく、むしろ精神病院のあり方の「改革」がめざされたことは注目しておくべきだろう。cf.小泉義之『あたらしい狂気の歴史――精神病理の哲学』青土社、二〇一八年。

9 ジュディ・チェンバレン『精神病者自らの手で――今までの保健・医療・福祉に代わる試み』中田智恵海監訳、解放出版社、一九九六年、一七九頁。

10 野口昌也「クーパーの反精神医学――"The Grammar of Living"(1974)より」『臨床精神医学』5-6:691-697, 1976

11 木村敏『異常の構造』、講談社現代新書、一九七三年。

12 同前、一八一～一八二頁。

13 中井久夫『日本の医者』日本評論社、二〇一〇年。

14 中井久夫『世に棲む患者』ちくま学芸文庫、二〇一一年、三二八頁。

15 中井久夫『日本の医者』三〇六頁。

16 三脇康生「中井久夫と日本の精神医学」『中井久夫――精神科医のことばと作法』河出書房新社、二〇一七年、二〇六～二一二頁。

17 中井久夫『日本の医者』一〇九、一二二頁。

18 中井久夫、山口直彦『看護のための精神医学　第二版』医学書院、二〇〇四年、七六頁。

19 中井久夫『中井久夫著作集〈一〉――精神医学の経験　分裂病』岩崎学術出版社、一九八四年、二五九頁。

20 中井久夫『こんなとき私はどうしてきたか』医学書院、二〇〇七年、七四頁。

21 中井久夫『世に棲む患者』一二頁。

22 中井久夫『中井久夫集3』みすず書房、二〇一七年、一八四頁。

23 ジャン・ウリ『コレクティフ――サン・タンヌ病院におけるセミネール』多賀茂、上尾真道、川村文重、武田宙也訳、月曜社、二〇一七年、二九二頁。

24 多賀茂、三脇康生編『医療環境を変える――「制度を使った精神療法」の実践と思想』京都大学学術出版会、二〇〇八年、二六三頁。

25 フェリックス・ガタリ『精神病院と社会のはざまで』杉村昌昭訳、水声社、二〇一二年、三四頁。

26 石原孝二編『当事者研究の研究』医学書院、二〇一三年。

27 ジル・ドゥルーズ、フェリックス・ガタリ『千のプラトー』（中）宇野邦一、豊崎光一、小沢秋広、田中敏彦、宮林寛、守中高明訳、河出文庫、二〇一〇年、二七四頁。

28 ジル・ドゥルーズ、フェリックス・ガタリ『千のプラトー』（上）宇野邦一、豊崎光一、小沢秋広、田中敏彦、宮林寛、守中高明訳、河出文庫、二〇一〇年、八八頁。

29 フェリックス・ガタリ『精神分析と横断性』法政大学出版局、一九九四年、一三六頁。

30 浅野弘毅『精神医療論争史――わが国における「社会復帰」論争批判』批評社、二〇〇〇年。

31 浦河べてるの家『べてるの家の「非」援助論』医学書院、二〇〇二年。

第六章

1 リベラル・デモクラシーの衰微と怒りと憎悪のアイデンティティ政治の出現の原因についての総合的考察として、吉田徹『アフター・リベラル――怒りと憎悪の政治』（講談社現代新書、二〇二〇年）を参考にした。

2 権藤成卿については、滝沢誠『権藤成卿　その人と思想――昭和維新運動の思想的源流』（ぺりかん社、一九九六年）、井田輝敏「権藤成卿の思想構造」（『松山大学論集』第九巻第六号、一九九八年）、岩崎正弥『農本思想の社会史――生活と国体の交錯』（京都大学学術出版会、一九九七年）、特に「第5章　規範と自治の〈地域社会〉構想」、河野友里『偽史の政治学――新日本政治思想史』（白水社、二〇一六年）特に「第六章「社稷」の日本史――権藤成卿と〈偽史〉の政治学」を参照した。

3 藤井隆至『柳田国男――『産業組合』と『遠野物語』のあいだ（評伝・日本の経済思想）』日本経済評論社、二〇〇八年。柳田が農商務省農務局に入局した一九〇〇年に産業組合法が制定されるが、彼もこれに関わっている。ただ、協同組合的なやり方よりも地主を中心とする農業発展を重視する政府と柳田の考えは衝突し、一九〇二年に同省法制局に異動。だが、一九〇三年に柳田は『最新産業組合通解』を刊行し、産業組合の意義を徹底的に論じていく。この彼の産業組合へのこだわりには、以上のような背景がある。柳田國男『最新産業組合通解』（『定本柳田國男集』第二八巻）筑摩書房、一九六四年（原典は一九〇三年）。

4 柳田國男『時代ト農政』（『定本柳田國男集』第一六巻）筑摩書房、一九六二年（原典は一九一〇年）。

5 速水佑次郎『新版　開発経済学――諸国民の貧困と富』創文社、二〇〇〇年。

6 大アジア主義とは、西欧列強のアジア侵略に対抗してアジア諸民族の連帯を訴えるものだが、論者によってそのトーンは異なる。国龍会は国権膨張のニュアンスが強い。

7 権藤成卿『皇民自治本義』富山房、一九二〇年。

8 権藤成卿『農村自救論』文藝春秋、一九三二年、三九頁。なお、以下、戦前の文章の引用にあたっては、旧仮名遣いは新仮名遣いに、総ルビは必要な箇所のみに絞り、旧漢字も新漢字に置き換えた。

9 同前、四八頁。

10 権藤成卿『自治民範』平凡社、一九二七年、三五六頁。

11 権藤成卿『農村自救論』二〇五頁。

12 河野友里『偽史の政治学』一八四頁。

13 権藤成卿『自治民範』九三頁。

14 同前、一〇三頁。

15 同前、一四四頁。

16 同前、一七九頁。

17 同前、一六六頁。
18 同前、二七五～二七六頁。また、彼の自治論で私が心惹かれるのは「刑は無刑に期すべきものである、政は無政に期すべきものである」(『自治民範』五一三頁)という点である。地域の「自治」を考えるのに国家による刑罰の問題を素通りできないにせよ、「地方自治」の問題と死刑制度の問題を一緒に考える視点は現在とても弱い。内閣府の調査(二〇一九年)では、死刑をやむをえないと考える人びとは八割を超えているが、権藤はおそらく、国家による殺人のみならず、刑罰自体を、社稷的な人間関係への侵犯ととらえたのだと思われる。国家の名において個人に刑罰が下されることへの拒否に、権藤成卿の自治論の一貫性を評価することも可能であろう(とはいえ、共同体内の刑罰は私刑になりかねない、という点について権藤が考えていないことは問題だが)。
19 同前、七三～七四頁。
20 同前、二七七頁。
21 小沢打魚・権藤成卿校註増訂『訓訳南淵書　上・中・下』大地社、一九三二年。
22 北一輝『日本改造法案大綱』西田税、一九二八年。
23 権藤成卿『自治民政理』学芸社、一九三六年、三〇八～三〇九頁。
24 原秀男・澤地久枝・匂坂哲郎『検察秘録　五・一五事件Ⅰ』角川書店、一九八九年、七三頁。
25 丸山眞男『増補版　現代政治の思想と行動』未来社、一九六四年。
26 権藤成卿『自治民範』二六四頁。
27 猪俣津南雄『踏査報告　窮乏の農村』改造社、一九三四年(岩波文庫版＝一九八二年)。
28 丸山眞男『増補版　現代政治の思想と行動』四三頁。
29 『新明解国語辞典　第七版』三省堂、二〇一二年。
30 権藤成卿『自治民範』四二三頁。
31 同前、四五四頁。
32 同前、二頁。
33 大岡昇平『野火』創元社、一九五四年。
34 有吉佐和子『複合汚染』新潮社、一九七五年。
35 梁瀬によると、捕らえられた後、処刑寸前に刑を執行する役の人間が梁瀬の仏教の話に心を動かされて逃れることができた。あいのう研究所「梁瀬義亮先生の体験」https://ainogakuen.ed.jp/academy/aino/yanase_experience.html(最終閲覧日：二〇二三年三月七日)
36 同前。
37 レイチェル・カーソン『沈黙の春』青樹簗一訳、新潮社、一九七四年。
38 槌田劭『未来へつなぐ農的くらし』樹心社、一九八三年。飯沼二郎・槌田劭『農の再生・人の再生　産直運動をめぐって』人文書院、一九八三年。後者は、農学者の飯沼が有機農業の根幹に疑問を抱いており、それを槌田にぶつけ、二人で議論する内容で興味深い。
39 飯沼二郎・槌田劭『農の再生・人の再生　産直運動をめぐって』一七四頁。

第七章

1 成田悠輔『22世紀の民主主義――選挙はアルゴリズムになり、政治家はネコになる』、SB新書、二〇二二年。
2 斎藤幸平(編著)『資本主義の終わりか、人間の終焉か？　未来への大分岐』集英社新書、二〇一九年。
3 今野晴貴、藤田孝典(編)『闘わなければ社会は壊れる――〈対決と創造〉の労働・福祉運動論』岩波書店、二〇一九年。
4 今野晴貴『日本の「労働」はなぜ違法がまかり通るのか？』、星海社新書、二〇一三年。
5 大谷禎之介『マルクスのアソシエーション論――未来社会は資本

主義のなかに見えている』桜井書店、二〇一一年。

6 アントニオ・ネグリ、マイケル・ハート『〈帝国〉――グローバル化の世界秩序とマルチチュードの可能性』水嶋一憲、酒井隆史、浜邦彦、吉田俊実訳、以文社、二〇〇三年。

7 アントニオ・ネグリ、マイケル・ハート『マルチチュード――〈帝国〉時代の戦争と民主主義（上）』幾島幸子訳、NHK出版、二〇〇五年、一七四頁。引用の中で『〈コモン〉』とした部分は邦訳書の中では『〈共〉』と訳されている。

8 アントニオ・ネグリ、マイケル・ハート『叛逆――マルチチュードの民主主義宣言』水嶋一憲、清水知子訳、NHK出版、二〇一三年、一〇～一一頁。

9 デヴィッド・グレーバー『デモクラシー・プロジェクト――オキュパイ運動・直接民主主義・集合的想像力』木下ちがや、江上賢一郎、原民樹訳、航思社、二〇一五年、八一頁。

10 Hurwitz HM: Are We the 99%?: The Occupy Movement, Feminism, and Intersectionality, Temple University Press; 2020.

11 Srnicek N,Williams A. Inventing the Future: Postcapitalism and a World Without Work, Verso; 2015.

12 Dean J, Crowds and Party, Verso; 2016.

13 アントニオ・ネグリ、マイケル・ハート『アセンブリ――新たな民主主義の編成』水嶋一憲、佐藤嘉幸、箱田徹、飯村祥之訳、岩波書店、二〇二二年、三九頁。

14 キア・ミルバーン『ジェネレーション・レフト』斎藤幸平監訳・解説、岩橋誠、萩田翔太郎訳、堀之内出版、二〇二一年、第四章。

15 アリシア・ガーサ『世界を動かす変革の力――ブラック・ライブズ・マター共同代表からのメッセージ』人権学習コレクティブ訳、明石書店、二〇二一年、二一二頁。

16 アントニオ・ネグリ、マイケル・ハート『アセンブリ』vi頁。

17 「自己制限」については、ヨルゴス・カリス『LIMITS――脱成長から生まれる自由』（小林正佳、小林舞、太田和彦、田村典江訳、大月書店、二〇二二年）を参照のこと。

18 Castoriadis C. A Society Adrift: Interviews and Debates,1974-1997, Fordham University Press, 2010, p. 3.

19 アントニオ・ネグリ、マイケル・ハート『アセンブリ』一九六頁。

おわりに

1 斎藤幸平（編著）『資本主義の終わりか、人間の終焉か？ 未来への大分岐』集英社新書、二〇一九年。

2 シャンタル・ムフ『左派ポピュリズムのために』山本圭、塩田潤訳、明石書店、二〇一九年。

3 斎藤幸平『人新世の「資本論」』集英社新書、二〇二〇年。

斎藤幸平 さいとう・こうへい
経済思想家。『人新世の「資本論」』で新書大賞受賞。

松本卓也 まつもと・たくや
精神科医。主な著作に『創造と狂気の歴史』など。

白井聡 しらい・さとし
政治学者。『永続敗戦論』で石橋湛山賞受賞。

松村圭一郎 まつむら・けいいちろう
文化人類学者。『うしろめたさの人類学』で
毎日出版文化賞特別賞受賞。

岸本聡子 きしもと・さとこ
杉並区長。主な著作に『水道、再び公営化!』など。

木村あや きむら・あや
社会学者。*Radiation Brain Moms and Citizen Scientists* でレイチェル・カーソン賞受賞。

藤原辰史 ふじはら・たつし
歴史学者。『分解の哲学』でサントリー学芸賞受賞。

コモンの「自治《じち》」論《ろん》

2023年8月30日　第1刷発行

著者　斎藤幸平
松本卓也
白井 聡
松村圭一郎
岸本聡子
木村あや
藤原辰史

発行者　樋口尚也

発行所　株式会社 集英社
〒101-8050 東京都千代田区一ツ橋2-5-10
電話 編集部 03-3230-6137
読者係 03-3230-6080
販売部 03-3230-6393(書店専用)

印刷所　大日本印刷株式会社

製本所　株式会社ブックアート

マークデザイン+ブックデザイン　鈴木成一デザイン室

Shueisha Series Common

Printed in Japan　ISBN978-4-08-737001-0 C0030
定価はカバーに表示してあります。